3,- € 4T

033

D0716478

Als der Unfall passierte, war Donald Bailey acht. Jetzt ist er sechzehn, doch er kann nicht vergessen, was damals passierte. Daran ändern auch der Umzug in die neue Stadt und das Schweigen seiner Mutter nichts. Erst als er Jake kennenlernt, einen kleinen vernachlässigten Jungen, nimmt Donalds Leben eine andere Richtung. Plötzlich ist da jemand, um den er sich kümmern, den er beschützen kann. Gemeinsam verbringen sie ihre Samstagnachmittage in der Bibliothek oder einem »Geisterhaus«, das Donald eigens für sie hergerichtet hat. Bis sich Jake plötzlich völlig abwendet. Und Donald erkennen muss, dass eigentlich er derjenige ist, der einen Freund braucht.

Wo der Himmel aufhört ist die Geschichte eines Jungen, dem es um alles geht: beklemmend, aufwühlend und ganz nah dran.

Robert Williams arbeitete acht Jahre lang als Buchhändler und lebt heute in Manchester. Für seinen ersten Roman *Luke und Jon* erhielt er mehrere Auszeichnungen, u. a. den National Book Tokens Prize, der von Englands Buchhändlern vergeben wird. *Wo der Himmel aufhört* ist sein zweites Buch. Weitere Informationen unter: www.robertwilliamsauthor.co.uk

ROBERT WILLIAMS

WO DER HIMMEL AUFHÖRT

Aus dem Englischen
von Brigitte Jakobeit

Berlin Verlag Taschenbuch

Januar 2014
Die Originalausgabe erschien 2012 unter dem Titel
How The Trouble Started bei Faber and Faber Ltd, London
© 2012 Robert Williams
Für die deutsche Ausgabe
© Berlin Verlag in der Piper Verlag GmbH, Berlin 2013
Alle Rechte vorbehalten
Umschlaggestaltung: ZERO Werbeagentur, München,
unter Verwendung einer Illustration von © Michael Gillette
Typographie: Andrea Engel, Berlin
Gesetzt aus der Stone Serif von psb, Berlin
Druck und Bindung: C. H. Beck, Nördlingen
Printed in Germany
ISBN 978-3-8333-0935-9

www.berlinverlag.de

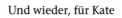

Und wieder, für Kate

1

Die Polizei wurde nach dem Vorfall gerufen. Es musste sein. Am Anfang war ich leicht enttäuscht. Als Achtjähriger hatte ich mir Uniformen, Martinshorn und Handschellen vorgestellt. Rasende Autos und aufblitzende Revolver. Stattdessen erschien eine müde aussehende Frau im Kostüm, die ein langsames graues Auto fuhr und immer nach Kaffee roch. Sie wollte, dass ich Tracy zu ihr sage, aber ich hatte noch nie einen Erwachsenen mit dem Vornamen angeredet und konnte mich nicht dazu überwinden. Ich wollte es, aber es war ungefähr so unmöglich, wie vor meiner Mum »Scheiße« zu sagen oder von einer hohen Mauer zu springen. Ein paarmal war ich kurz davor, aber mein Gehirn funkte dazwischen, und am Ende war ich wieder bei »Miss«. »Tracy«, sagte sie daraufhin die ersten paar Male, aber irgendwann schüttelte sie nur noch den Kopf und gab auf.

Sie klopften erst abends an die Tür. Ich hatte mit einem Nachspiel gerechnet, das schon, aber nicht, dass dieses Nachspiel als Verhör auf der Polizeiwache stattfindet. Sie stellten viele Fragen, auf die ich wenig antwortete. Ich hatte keine Angst, denn sie waren ja nett und schrien nicht herum oder so, aber ich wollte nicht noch mehr Ärger, und je mehr ich sagte, umso mehr Ärger konnte ich kriegen, deshalb verstummte ich. »Ich habe nur gespielt«, sagte ich, aber das reichte ihnen nicht. Sie gingen immer wieder zum Anfang zurück und wollten alles, was am Morgen passiert war, bis auf die Sekunde genau wissen. Mir wurde schon langsam schwindlig. Ich glaube nicht, dass ich sie anlog, und sie logen mich auch nicht wirklich an, aber die ganze Wahrheit sagten sie mir zuerst nicht. Vermutlich wollten sie herausfinden, ob ich etwas verberge, wollten testen, wie viel ich wusste, aber selbst mit meinen acht Jahren war mir klar, wenn man zu viel sagt, handelt man sich Ärger ein. Worte können einen reinreißen. Ich war nicht hinterhältig mit meinen acht Jahren, davon war ich damals weit entfernt. Mum glaubt, dass ich seitdem hinterhältig geworden bin, und vielleicht hat sie recht, aber damals war ich nicht hinterhältig, nur vorsichtig.

Als klar wurde, dass mir etwas Wichtiges entging und die Sache nicht ganz so war, wie ich sie sah, drängte sich mir eine Frage auf. Aber als ich sie stellte, wurde ich von allen im Raum so komplett ignoriert, dass ich überlegte, ob ich vielleicht nicht laut gesprochen hatte. Ich wartete die nächste Gelegenheit ab und fragte noch mal. Alle reagierten wie vorher – nämlich gar nicht. Erst am späten Abend oder vielleicht auch am nächsten Tag rückten sie mit der großen Enthüllung heraus. Ich erinnere mich nicht mehr an alle Einzelheiten, aber ich weiß noch genau, was ich anhatte, als sie es mir verkündeten. Es war Sommer, ich trug blaue Shorts und meine Schulschuhe. Ich kam mir blöd vor in der Aufmachung, aber meine Turnschuhe hatten sie mir zusammen mit den anderen Sachen weggenommen. Sie brachten mich in einen kahlen Raum mit grünen Plastikstühlen und einem grauen Tisch in der Mitte. Ich musste mich setzen, und dann beantworteten sie die Frage, die ich ihnen zuvor zweimal gestellt hatte. Tracy redete langsam und deutlich, alle beobachteten mich genau, als wäre ich ein Zauberer, der gleich einen Trick vorführt. Ich hörte ihr zu und bemühte mich, alles zu begreifen. Es war ein heißer Tag, und als sie die Hände vom Tisch hob, blieben feuchte Flecken zurück. Ich sah zu, wie die Flecken verschwanden. Als Tracy fertig war, schauten sie mich an und warteten, dass ich etwas sagte, deshalb sagte ich das Einzige, was mir einfiel: »Wann bekomme ich meine

Turnschuhe wieder?« Es war, als hätte ich die Hose runter-
gelassen und ihnen meinen Pimmel gezeigt. Alle schauten
zur Seite, Mum fing zu weinen an, und irgendjemand sagte:
»Heilige Scheiße, das ist vielleicht ein eiskalter Fisch.«

Am Abend musste ich mich mit Mum hinsetzen und sie
sagte, ich würde keinen guten Eindruck machen. »Du musst
ein bisschen Mitgefühl zeigen, Donald.« Ich versprach, mich
mehr zu bemühen. Am nächsten Tag war ich wieder im
Raum mit den grünen Stühlen und dem grauen Tisch. Wir
nahmen alle Platz, und Tracy stellte wieder Fragen. Sie wollte
wissen, was ich unter »Absicht« verstand. Ich hörte ihr gut
zu. »Wir müssen wissen, was du wirklich vorhattest, Donald,
was du in den Sekunden, bevor es passiert ist, gedacht hast,
und warum du hinterher so reagiert hast.« Sie benutzte das
Wort »Absicht« noch mehrere Male, aber mein achtjähriger
Kopf erinnerte sich nur an den Abend, als Matthew Thorn-
ton und ich bei ihm im Garten zelteten und seine Eltern
vom Schlafzimmerfenster aus abwechselnd nach uns sahen.
Wahrscheinlich ahnten sie, dass wir die Nacht nicht durch-
halten würden, und sie hatten recht. Eine Stunde nach Ein-
bruch der Dunkelheit krochen wir aus dem Zelt und schliefen im Stockbett in Matthews Zimmer, heilfroh, im sicheren
Haus zu sein. Das war alles, was ich damals unter »Absicht«
verstand. Ich versuchte zu erklären, dass ich nichts Bestimm-
tes vorgehabt hatte – ich hatte nur draußen gespielt und
etwas war schiefgelaufen. Aber Tracy schien nicht überzeugt.
Offenbar glaubte sie, ich würde etwas verschweigen, ihr etwas vorenthalten, das sie wissen musste. Mit zunehmendem
Alter ist mir klar geworden, dass irgendwas an mir andere
misstrauisch macht und dass ich schon als Achtjähriger
nicht überzeugend wirkte. Letztendlich kamen sie zu dem
Schluss, dass sie keine Fragen mehr hatten, und wir mussten

nicht mehr auf die Polizeiwache. Am nächsten Tag ging ich dann wieder zur Schule.

Damit hatte sich die Sache, außer dass ich einmal pro Woche aus dem Unterricht geholt und quer durch die Stadt gefahren wurde, zu einem Zentrum, das *Glückliche Stunden* hieß. Dort ging ich mit einer Frau namens Karen in ein Zimmer und spielte eine Stunde lang. Damals fand ich das nicht komisch, ich dachte nicht groß darüber nach; ich war einfach froh, nicht im Unterricht zu sein und spielen zu dürfen. Es gab ein paar Regeln – man musste mit leeren Händen kommen und mit leeren Händen gehen. Wenn man etwas schrieb oder malte, musste man es mit seinem Namen versehen in einer Schachtel zurücklassen. Und meine Mum durfte nicht mit in den Raum, nur Karen und ich. Draußen zu warten machte Mum wahnsinnig. Sie traute mir nicht, und sie traute ihnen nicht. »Was macht ihr denn da drin?«, fragte sie.

»Nur spielen«, antwortete ich.

»Na, dann spiel vorsichtig«, sagte sie. Und ich gab mir Mühe, vorsichtig zu spielen, obwohl ich bis heute nicht weiß, wie das gehen soll.

Sie hatten Marionetten, Plüschtiere, Spielzeugautos, eine Puppenküche, Modellsoldaten, Teddybären, Farben und Papier. Manchmal spielte ich mit den Spielsachen, manchmal malte ich. Karen kam oft dazu und malte auch ein Bild. Sie erzählte mir, was sie malen wollte, und fragte dann, was ich malte. Wenn ich mit den Spielsachen spielte, ließ sie mich allein und schaute zu. Manchmal wollte sie wissen, was in meinem Spiel passierte. Ich erzählte ihr das immer gern.

»Der Tiger hat den Freund des Soldaten gefressen, darum jagt ihn der Soldat durch die Puppenküche und will ihn aus Rache töten. Später trägt er zum Andenken an seinen Freund einen Tigerzahn um den Hals.«

Wahrscheinlich irgendwas Albernes in der Art. Damals hatte ich keine Ahnung, dass sie mich beobachteten. Sie wollten sehen, wie ich ticke, ob ich die Puppen erwürge und die Teddybären ersteche. Ich denke, das war verständlich, auch wenn es ziemlich hinterlistig ist, einen Achtjährigen auszuspionieren und ihn in dem Glauben zu lassen, er würde nur spielen.

*

Die Kinder in der Schule sagten nichts, als ich in den Unterricht zurückkam. Aber das hatte man ihnen wohl eingeschärft, denn das Summen des Nichtgesagten war allgegenwärtig. Ich war nur ein paar Tage weg gewesen, doch die Schule knisterte vor Aufregung. Mrs Walsh ließ jeden »Schön, dass du wieder da bist, Donald« sagen, und ich spürte die Augen meiner Mitschüler auf mir, neugierig, ob ich irgendwie anders aussah. Ich merkte an ihren angespannten Kiefern, wie gern sie mich ausgequetscht hätten, aber es bot sich keine Gelegenheit dazu. Selbst nicht auf dem Pausenhof, wo plötzlich doppelt so viele Lehrer Aufsicht hatten; sie standen nicht wie gewohnt mit ihren Kaffeebechern am Eingang, sondern drehten ihre Runden um den Hof wie Scaletrix-Autos auf einer Rennbahn. Erst in der Mittagspause kam jemand an mich ran. Die Hudson-Drillinge hatten mich anscheinend in die Toilette gehen sehen, denn die Tür war noch keine zwei Sekunden zu, da wurde sie aufgerissen, und noch ehe ich die Hände am Reißverschluss hatte, standen sie vor mir, eine drängelnde Miniarmee, die fragte: »Was ist passiert? Warst du im Gefängnis? Was hat deine Mum gesagt? Gab es viel Blut?« Ich hatte nicht die Gelegenheit zu antworten, denn Mr Barker stürmte durch die Tür, warf uns alle raus und schickte uns in verschiedene Richtungen, ohne meine dringende Bitte zu beachten, dass ich wirklich zur Toilette müsse. Die Aufsichtspflicht der Schule stand über allem, und rückblickend gesehen finde ich es schade, wie sie die Sache handhabten. Natürlich waren die Schüler neugierig, aber sie bläuten allen ein, dass es hier um etwas ging, über das weder vor, während, noch nach der Schule diskutiert werden durfte. Die Lehrer wollten mich vermutlich schützen, jedenfalls ein Teil von ihnen, aber das nützte nichts. Alle wussten, was passiert war, und alle nahmen sich vor mir in Acht. Als ich mich schließlich wieder mit Matthew zusammentat, meinem einzigen richtigen Freund vor dem Vorfall, holten sie ihn beiseite und sorgten dafür, dass er keine unangemessenen Fragen stellte. Ich galt ziemlich schnell als der Junge, mit dem man besser nicht reden sollte, weil man sonst Ärger bekam.

*

Eine Zeitlang wusste ich nicht, ob an dem Tag wirklich etwas Schlimmes passiert war. Ich hatte den Verdacht, man wollte mich reinlegen. Als ich auf mein Fahrrad gesprungen und nach Hause gerast war, hatte ich mich nicht von einer folgenschweren, schrecklichen Tat entfernt – so sah ich es. Ich wusste, es war etwas Schlimmes passiert, ich wusste, jemand war verletzt und ich könnte Ärger bekommen, aber ich hatte keine Ahnung, dass man die Polizei einschalten würde. Als Tracy mir erklärte, wie die Sache ausgegangen war, schien mir das unmöglich, es passte nicht mit meiner Sicht der Dinge zusammen. Ich glaubte ihnen nicht. Ich war in dem düsteren Alter, in dem man weiß, dass Erwachsene nicht immer die Wahrheit sagen. Jahrelang hatte man mir Geschichten vom Weihnachtsmann, von Zahnfeen und Karotten erzählt, mit deren Hilfe man im Dunkeln sehen könne, und am Ende erwies sich alles als Unsinn. Was man mir auf der

Polizeiwache in Clifton aufgetischt hatte, schien mir so weit hergeholt wie der dicke Mann im roten Kostüm, der mit Geschenken durch den Kamin kam und Kinder in aller Welt beglückte.

Es zog mich an den Ort des Geschehens zurück. Ich wollte sehen, ob es Hinweise gab, die bestätigten, was man mir erzählt hatte, oder die meine Vermutung unterstützten, dass man mich täuschen wollte. Wenn wirklich etwas so Schlimmes passiert war, musste es Beweise geben, da war ich mir sicher. Aber es würde nicht leicht werden, denn seit dem Vorfall durfte ich nicht mehr allein aus dem Haus. Mit Mum ging ich zwar raus, aber sie führte mich durch die Gartenpforte, drehte mich scharf nach rechts und zwang mich den Hügel hoch, weg vom Ort des Geschehens, auch wenn wir nach links hätten gehen müssen, um unser Ziel zu erreichen. Wir liefen ungefähr vierhundert Meter die Hawthorne Road entlang, bogen irgendwann in eine Nebenstraße und gingen auf der Kemple Street zurück, um nicht an dem Haus vorbeizukommen, wo der Vorfall passiert war. Auf diese Weise dauerten alle unsere Ausflüge gut zwanzig Minuten länger, aber mir war klar, ich durfte nichts dazu sagen. Selbst wenn ich müde war und wir uns der Gabelung näherten, an der die eine Straße in fünf Minuten nach Hause geführt hätte, während die andere ein mühsamer Umweg war, hielt ich den Mund. Seit die Polizei bei uns aufgetaucht war, neigte Mum zu Wut- und Heulanfällen gleichermaßen, und jede Bemerkung von mir konnte sie provozieren. Am besten war es, wenn ich schwieg. Worte können einen reinreißen.

Ich schmiedete einen Plan. Ich wollte warten, bis Mum im Bett lag, und mich dann eine Stunde später aus dem Haus schleichen. Ich würde zum Ort des Geschehens rennen und mich gründlich nach jedem möglichen Beweis umsehen, der ihre Behauptung unterstützte. Aber bei meinem ersten geplanten Versuch wurde ich morgens geweckt, um in die Schule zu gehen; ich hatte die ganze Nacht durchgeschlafen. Am nächsten Morgen passierte das Gleiche, deshalb wühlte ich, als Mum im Bad war, in den Schubladen und Schränken in der Küche, bis ich eine Zeitschaltuhr in Form eines Plastikhuhns fand. Als Mum am Abend ins Bett ging, stellte ich die Uhr auf eine Stunde ein und steckte sie unter mein Kopfkissen. Ich schlief zwar wieder ein, wachte aber auf, als das gedämpfte Klingeln unter meinem Kopf losging. Ich machte die Uhr aus und schlich zu Mums Tür, horchte, und als ich ihr leises Schnarchen hörte, war meine Chance gekommen. Ich zog mich nicht um, denn ich wollte ja nicht lange wegbleiben. In Schlafanzug und Schulschuhen schlich ich aus dem Haus, in der Hand eine Taschenlampe.

Es war erst gegen Mitternacht, aber sehr dunkel, dunkler als ich es je erlebt hatte. Die Straße, in der ich aufgewachsen war, wirkte vollkommen fremd. Die Stille erschreckte mich und ließ mich am Gartentor innehalten. Ich überlegte, ob ich sie durchbrechen könnte, doch sobald ich das Tor hinter mir zugezogen hatte, war ich ein dunkler Schatten, der eine schwarze, ruhige Straße hinunterhuschte. Fünf Minuten später war ich am Fuß des Hügels, vor der Nummer fünf. Ich richtete meine Taschenlampe auf den Gehsteig. Ich suchte nach Blut. Ich bewegte den Strahl von links nach rechts, zur Straße, den Rinnstein entlang. Ich versuchte es ein Stück weiter oben und unten, falls ich mich bei der Stelle verschätzt hatte. Aber nirgendwo waren dunkle getrocknete Blutflecken. Ich richtete die Taschenlampe aufs Gartentor und ließ den Strahl über den Weg zur Haustür gleiten. Auch dort war nichts. Ich verstand das nicht. Wenn ihre Behauptung stimmte, musste doch irgendwo Blut sein. Ich sah mich auf

Augenhöhe um. Ich drehte mich einmal langsam im Kreis. Geradeaus, am Fuß des Hügels, war die Kreuzung, die einen entweder nach Clifton hinein- oder herausführte. Auf der anderen Straßenseite stand eine Reihe großer, imposanter Häuser mit steilen Treppen, die zu breiten Eingangstüren führten. Dort, wo ich hergekommen war, erhob sich die lange Steigung zu meinem Haus. Dann die letzte Drehung, und vor mir stand das Haus des kleinen Jungen. Nirgendwo sichtbare Spuren. Auf mich wirkte es nicht wie der Schauplatz eines tragischen Vorfalls. Ich fühlte mich darin bestätigt, dass die Erwachsenen mich täuschen wollten. Ich wollte gerade nach Hause gehen, mich ins Bett legen und alles noch mal überdenken, als mir die Karten im Fenster auffielen. Eine war mit der Rückseite gegen die Scheibe gefallen. Ich könnte sie lesen. Ich hatte nicht vorgehabt, zum Haus zu gehen, aber ich musste einfach wissen, was auf dieser Karte stand. Ich öffnete das Tor so leise wie möglich und schlich den Weg entlang zum Fenster, hielt die Taschenlampe an das schwarze Glas, beugte mich vor und las:

Liebe Becky, lieber Ian,
Unser aufrichtiges Beileid
Es gibt keine Worte dafür.
Er schläft jetzt bei den Engeln.
In aller Liebe,
Emma, Chris und Imogen

In diesem Augenblick wurde es Wirklichkeit. Ich begriff immer noch nicht, wie es passiert war, aber ich wusste, man hatte mir die Wahrheit gesagt. Ich drehte mich um und wollte zurückgehen. Nach einem Schritt sprang ein Licht über mir an und erleuchtete den vorderen Garten wie eine Bühne.

Wenn ich losgelaufen und immer weitergerannt wäre, hätte ich in Sekunden weg sein können, aber in meiner Panik rannte ich mitten in den Garten und blieb stehen. Ich drehte mich um und überlegte, ob ich zum Haus zurücklaufen und mich an die Wand pressen sollte. In diesem Moment der Unentschlossenheit, als ich starr wie eine Salzsäule und sichtbar wie ein Turm auf einem Berg zum Haus blickte, wurden die Vorhänge im oberen Fenster beiseitegeschoben, und da war der Vater des kleinen Jungen. In der Mitte seines Gartens stand der Junge, der seinen zweijährigen Sohn vor zwei Wochen getötet hatte, und starrte ihn an. Er wirkte verblüfft. Ich rannte los.

2

Nach dem Vorfall veränderte ich mich. Mum sagt, dass ich mich zurückzog. Ich sehe es genau umgekehrt – ich lief vor mir davon. Ich nannte es »Wegtauchen« und wurde schnell gut darin. Das erste Mal probierte ich es ein paar Tage nach dem letzten Polizeiverhör. Im Nachhinein ist mir klar, dass es für ein erstes Wegtauchen sehr heikel war. Aber damals war mir nicht bewusst, was ich da vorhatte, mein Verständnis war ein anderes als heute. Damals wollte ich nur Mums Wut entkommen und der Dunkelheit, die sich seit dem Erscheinen der Polizei an unserer Tür auf uns gesenkt hatte. Die Idee stammte von einem Schriftsteller, der unsere Klasse besucht hatte. Er erzählte von seinem Schreiben und seinen Büchern. Ich mochte ihn und seine Geschichten nicht besonders, aber eine Bemerkung blieb bei mir hängen. Er erzählte uns, dass er manche Tage in anderen Welten verbrachte. Wenn er anfing zu schreiben und zu erfinden, verschwand der Alltag, und wenn es gut lief, landete er an einem Ort, der ihm wirklicher vorkam als die Welt, in der er aufwachte. Genau das wollte ich für mich, ich wollte dieses magische Entkommen, und auch wenn ich meine Gedanken nicht so mühelos zu Papier bringen konnte wie er, konnte ich mich im Kopf gut in andere Welten versetzen.

Als ich es das erste Mal probierte, war mein Bett ein Raumschiff und ich flog zum Neptun. Ich war damals versessen auf Weltraumgeschichten – alle Bücher, die ich mir aus der Bücherei ausgeliehen hatte, handelten vom Weltraum, alle Bilder, die ich im *Glückliche-Stunden*-Zentrum gezeichnet hatte, zeigten Planeten, Sterne und Raumschiffe, und jeder Film, jede Sendung über den Weltraum konnte mich tagelang begeistern. Ich weiß noch, dass wir einen

Schulausflug zu einem berühmten Teleskop geplant hatten, dem Pilchard Telescope, wo man unter günstigen Bedingungen angeblich andere Sonnensysteme sehen konnte. Ich zählte die Tage an den Fingern ab, aber dann zogen wir kurz vor dem Ausflug um, und Mum schrieb einen Brief, den ich am letzten Tag abgeben sollte, und bat um die Rückgabe des Geldes. Ich war noch nie so enttäuscht gewesen und fand es fast strafbar, in einem Kind solche Hoffnungen zu schüren und sie dann einfach zu zerstören. Ich war mir sicher, dass irgendein Verantwortlicher in letzter Minute eingreifen und die Sache richten würde. Als das nicht geschah und mir schließlich klar wurde, dass ich das riesige Teleskop und die weit entfernten Sonnensysteme nicht sehen würde, ließ ich meinem Unmut freien Lauf.

»Meine Güte, Donald, dir geht es doch nicht ernsthaft um ein Teleskop«, sagte Mum. »Nach allem, was passiert ist, solltest du einem abgeblasenen Ausflug zu einem blöden Teleskop wirklich nicht nachtrauern.«

Doch genau das tat ich. Verstand sie denn nicht, wie ungerecht das Ganze war? Dem einzigen Jungen in der Klasse, der unbedingt in den Weltraum wollte, wurde die Gelegenheit genommen, ihn jemals zu sehen, während seine Mitschüler in wenigen Tagen in den Bus stiegen, obwohl ihnen der Ausflug nur halb so wichtig war. Für mich war das ein Fehlurteil von epischem Ausmaß. Heute schaudert es mich, wenn ich an meine Empörung denke. Ein paar Wochen zuvor hatte ich einen Jungen getötet, und ich jammerte wegen eines verpassten Ausflugs zu einem Teleskop. Doch für mich war es mehr als das. Die Vorstellung von der Weite des Raums war ein Trost. Mich faszinierte der Gedanke, dass solche Planeten weit entfernt vom täglichen Leben existierten, dass ich im Unterricht saß, während gewaltige Gesteinsmassen und Gase über mir durch den Raum reisten. Das war so anders als alles, was ich kannte, so fremd zu allem hier unten, dass mir verglichen damit alles unwichtig vorkam. Was immer hier unten passiert, hat keinerlei Auswirkung auf das Geschehen dort oben, dachte ich immer. Solche Gedanken machten mir das Leben erträglicher. Deshalb war ich so wütend über den abgesagten Ausflug. Damals konnte ich das nicht erklären, und alle sahen mein Verhalten als weiteren Beweis dafür, was für ein eiskalter Fisch ich war.

Mein Planet war Neptun. Ich weiß nicht, warum. Alle Planeten hatten etwas, das ich mochte, aber Neptun hatte mein Herz erobert. Andere Planeten machten mir Freude, zeitweise schwärmte ich sogar für sie, aber wenn es darauf ankam, wenn ich Flagge zeigen musste, war es immer Neptun. Vielleicht weil er blau war: Blau war meine Lieblingsfarbe, Drei meine Lieblingszahl. Ich hatte mich informiert. Ich kannte die Raumschiffe und das Trainingsprogramm von Astronauten. Ich wusste, was sie aßen, wie sie zur Toilette gingen, wo sie schliefen. Ich war bestens vorbereitet. Ich war so begeistert von meinem Plan, dass ich eine halbe Stunde vor meiner Zeit ins Bett ging. Ich lag da und konnte es nicht erwarten, bis das Zwielicht im Zimmer zur Dunkelheit wurde, damit ich den Countdown herunterzählen und abheben konnte. Das Abheben lief problemlos, und ich war bald aus dem Orbit und schwebte durch den Raum. Ich winkte den Planeten im Vorbeifliegen zu. Jupiter war so beeindruckend, wie ich es gelesen hatte, die Ringe des Saturn waren spektakulär. Als schließlich die blaue Sichel des Neptun in Sicht schwebte, war meine Reise fast perfekt. An den folgenden Abenden wiederholte ich den Ausflug, und jedes Mal brannte ich darauf, ins Bett zu gehen. Und ganz gleich, wie lange es dauerte, bis ich einschlief, ich entfloh Clifton – jedem Bewohner und allem, was passiert war. Nach dem Abendessen zog ich sofort meinen Schlafanzug an und sehnte mich nach meinem Bett.

»Ist alles in Ordnung, Donald?«, fragte Mum nach ein paar Tagen. Ich beruhigte sie und versicherte ihr, alles sei bestens, in letzter Zeit wäre ich einfach nur sehr müde. Meine Antwort erinnerte sie offenbar an etwas, denn sie sagte: »Sie meinten, das könnte passieren. Das ist völlig normal, Donald, mach dir keine Sorgen.«

Ich wusste, worauf sie anspielte, allerdings leuchtete mir nicht ein, warum der Vorfall mich müde machen sollte. Ich ließ sie in dem Glauben, dass sie richtig lag, und war froh, mein Wegtauchen für mich behalten zu können.

Im Laufe der Jahre hat sich mein Wegtauchen verändert. Da mich Raumfahrt nicht mehr so interessiert, sind meine Ausflüge erdgebundener und realistischer geworden. Mein nächster Versuch wird Lossiemouth sein. Ich fand Lossiemouth auf Seite sechsundneunzig im *Times Atlas of the World*. Ein winziger weißer Punkt auf der Karte, mehr nicht, aber ich brauche nur einen Namen und ein Ziel, den Rest denke ich mir aus. Ich achte auf die Einzelheiten und schlage in Büchern in der Bibliothek nach, aber das ist nicht so wichtig, denn niemand prüft es nach, und solange ich eine genaue Vorstellung davon habe, wer ich bin und was ich will, geht normalerweise alles glatt. Für Lossiemouth habe ich mir ein kleines weißes Haus mit Meerblick vorgestellt. Die Ortschaft ist ruhig und sicher – es gibt keine Raser, die mit ihren Autos durch enge, belebte Straßen fahren. Niemand hat es eilig. In dem Haus steht ein Küchentisch, den ich selbst gemacht habe, Putz und Elektrik stammen ebenfalls von mir. Im Hafen schaukelt ein hellblaues Boot, und hinter der Haustür warten ein Schäferhund und eine Frau: eine große Brünette mit breitem rotem Mund und freundlichem Lächeln. Ich heiße Jack, bin nicht allzu groß und habe keine albernen Muskeln, aber ich bin stark und sehe gut aus. Wenn die Frauen in Lossiemouth lächeln und ihre Haare schütteln, tue ich so, als hätte ich es nicht bemerkt – ich gehe bloß vor dem Abendessen mit meinem Hund am Strand spazieren, mehr nicht, und lebe mein Leben. Ich vergesse nie, dass ich eine schöne Frau zu Hause habe, die auf meine Rückkehr wartet, und ich kehre immer zurück. Dieses Wegtauchen in andere Welten hat mir immer gutgetan seit dem Vorfall. Es hat mir geholfen, den Kopf über Wasser zu halten, leichter zu atmen und dem kleinen Jungen zu entkommen.

3

Eine Woche vor dem Ausflug zum Pilchard Telescope und ein paar Monate nach dem Vorfall zogen wir um. Ich weiß nicht, wie Mum auf Raithswaite kam, wir kannten dort niemanden. Ich hörte den Namen zum ersten Mal, als sie sagte, dort würden wir leben. Aber vermutlich dachte sie seit Tag eins daran umzuziehen, und der Vorfall im Garten mitten in der Nacht machte die Sache nicht gerade besser. Nach jenem Abend und einem weiteren Besuch von Tracy ließ Mum mich nicht aus den Augen und gab Acht, dass ich nicht irgendwohin schlich, wo ich nichts zu suchen hatte. Ich hatte versucht, ihr zu erklären, warum ich in dem Garten gewesen war, aber sie verstand mich nicht und dachte, ich sei verrückt geworden und wolle die armen Eltern des toten Jungen auch noch quälen. Als sie mir unseren Umzug verkündete, verstand ich sie nicht, aber damals dachte ich in den schwarzweißen Denkmustern eines Kindes: Es war ein Unfall, die Polizei hatte mich gehen lassen und ich hatte versprochen, nie wieder zu dem Haus zu gehen. Warum mussten wir dann umziehen? Aber Mum behauptete, wir könnten unmöglich bleiben. Ich glaubte ihr nicht, aber ich war noch zu jung, um ihre Gründe zu verstehen, ich wusste ja noch nicht mal, dass Mädchen einen zweiten Blick wert waren. Heute sehe ich ein, dass sie recht hatte – uns blieb keine andere Wahl, wir mussten gehen. Der Vorfall wühlte sie auf, das merkte ich, aber aus Clifton wegzuziehen traf sie viel härter als mich. Sie mochte den Ort wirklich. Sie sagte immer, in dieser Stadt sei sie aufgewachsen und in dieser Stadt werde sie sterben. Kurz vor unserem Umzug kaufte sie sogar noch eine Grabstelle auf dem Waddington Road Cemetery. Es war ihr letzter Anruf. »Wenigstens kann ich mich freuen«, sagte sie, »eines Tages wieder heimzukehren.« Damals hielt ich es für eine vernünftige Idee, dass sie zurückzog, wenn ich nicht mehr bei ihr lebte, aber als ich ihr das sagte, fand sie meine Bemerkung lächerlich und meinte, sie könne nie lebendig nach Clifton zurückkehren. »Was wäre, wenn ich sie sehen würde, Donald? Wenn ich die Familie treffen würde? Hast du dir das schon mal überlegt?« Sie schauderte bei dem Gedanken, und in diesem Moment begriff ich, dass sie erst heimkehren wollte, wenn sie kalt wäre und man sie in die Erde senken würde.

Sie rieb mir nie direkt unter die Nase, dass ich alles ruiniert hatte, aber wir wissen es beide. Es wird deutlich, wenn sie Töpfe mit lautem Geklapper in den Schrank zurückstellt, wenn sie hektisch und fluchend den Küchenfußboden wischt, der ihrer Ansicht nach nie richtig sauber wird. Seit wir in Raithswaite sind, hat sie sich mit niemandem angefreundet. Sie hat es nicht mal versucht. Sie verprellt alle Besucher und schwelgt in ihrem Leid. Für sie ist alles und jeder in Raithswaite verdorben. Alles ist schmutzig. Sie denkt, wir sind in einer versifften Stadt gelandet. Wenn sie könnte, würde sie mit ihrem Schrubber jeder Straße zu Leibe rücken. »Eng, schmutzig und verfallen«, sagte sie vor ein paar Wochen am Telefon zu Tante Sandra. »Unser Haus ist das sauberste in der ganzen Stadt.« Das stimmt nicht. Mums Verhältnis zu Raithswaite gleicht ungefähr dem von dünnen Frauen, die in den Spiegel gucken und nur Fett sehen. Ich habe versucht, vernünftig mit ihr zu reden, aber die Wahrheit passt nicht in ihr Denkschema, darum hält sie sie lieber unter Verschluss. Sie verdeckt die Sonne hinter einer Münze, wenn es ihrer Geschichte dient. Das ist der große Unterschied zwischen uns. Sie sieht die Welt so, wie sie es möchte. Ich versuche, sie so zu sehen, wie sie ist. Mir ist klar geworden, dass ich mich manchmal täusche, aber zumindest schaue ich richtig hin und versuche, mir ein ausgewogenes Bild von der Welt und den Menschen zu machen.

4

Meine Welt ist jetzt Raithswaite und es gibt nicht allzu viele Menschen darin. Da ist natürlich Mum, dann Fiona Jackson aus der Schule, die ich manchmal unten im alten Steinbruch sehe. Aber was Freunde betrifft, fand ich nicht so recht Anschluss, und eigentlich gibt es keinen, mit dem ich mich öfter mal treffe. Ich gehöre zu den wenigen Sechzehnjährigen, die am Freitag- und Samstagabend nicht unterwegs sind.

Das Ganze fing am Tag an, nachdem ich von dem kleinen Jungen geträumt hatte. Ich habe ihn nie vergessen, keine Sekunde lang, aber in den letzten acht Jahren gab es schlimme Zeiten und bessere Zeiten. Es gab Tage, manchmal Wochen, in denen ich alles als tragischen Unfall sah – das Schicksal hatte sich durchgesetzt, daran war nichts zu ändern. Wenn es mir gutgeht, kann ich meine Gedanken mit diesem Argument abstellen, bevor sie zu tief gehen. Aber an schlimmen Tagen, in schlimmen Wochen, kann ich nicht vergessen, dass ich jemanden umgebracht habe – ich sehe die krasse Wahrheit und sie macht mich fertig. Ein einziger Gedanke lässt mich dann wie angewurzelt stehen bleiben, lässt mir das Blut in den Adern gefrieren und raubt mir die Luft aus der Lunge. In den ersten paar Jahren war es nicht so schlimm, aber später wurde es härter. In letzter Zeit ist jeder einzelne Tag schlimm gewesen, und ich kann mich nicht mehr erinnern, wie es ist, glücklich zu sein oder mich zu freuen. Ich weiß, es gibt solche Gefühle, aber ich kann mir nicht vorstellen, sie jemals wieder zu empfinden. Wenn es an einem eisigen Wintertag so kalt ist, dass deine Finger taub sind, dir die Zähne wehtun und du dein Gesicht nicht mehr spürst, und du zwar genau weißt, wie unangenehm heiß dir vier Monate zuvor war, du dich aber beim besten Willen nicht mehr daran erinnern kannst, wie sich das anfühlt: Genauso weit entfernt war ich vom Glücklichsein.

Die Träume hatten einen Schatten geworfen, und ich wachte in einer Stimmung auf, für die es eigentlich noch zu früh war. Weiterschlafen wäre die beste Lösung gewesen, aber der Schlaf versteckte sich überall, nur nicht hinter meinen Augenlidern. Mir blieb nichts anderes übrig, als aufzustehen und mich dem Tag zu stellen.

Die Schule war wegen einer Lehrerfortbildung geschlossen. Mum hatte es vergessen, und allein die Vorstellung, mich die ganze Zeit um sich zu haben, machte sie wütend. Ihre Gereiztheit drang durch die Dielenbretter nach oben, und ich wusste, selbst wenn ich in meinem Zimmer blieb und nichts machte, würde meine Anwesenheit sie provozieren. Nach meinen Träumen hatte ich Beklemmungen, in allen Ecken lauerten Schrecken, die nur darauf warteten, mich anzuspringen. Ich konnte kaum atmen und brauchte Luft. Ich musste raus. Und so schlich ich durch die Hintertür nach draußen und ging in Richtung Stadt. Ich brauchte Abstand zwischen mir und dem Haus und Mum. Vor allem brauchte ich Abstand zu mir selbst, was nicht ganz leicht zu bewerkstelligen ist, am einfachsten ging das mit Bewegung. Ich machte das schon seit Jahren: Ich lief in Raithswaite herum, fand heraus, wohin die vielen Seitenstraßen führten, ging in Vororte und sah mich dort um. Und bei alldem versuchte ich, nicht an den kleinen Jungen zu denken, versuchte ich, irgendwie zu verschwinden.

Die Sonne schien hell, die Schulkinder waren schon unterwegs, paarweise oder in Gruppen, sie schmiedeten Pläne, plapperten und genossen den freien Tag. Manchmal rief mich jemand von der anderen Straßenseite oder von oben auf der Brücke, aber ohne großen Erfolg. Ich war in Gedanken versunken. Schließlich erreichte ich den Kricketplatz am Ende der Chatburn Road. Ich schlenderte um das Schlagfeld und stellte fest, dass es alles andere als eben war. Wie sollte man da richtig spielen können? Im Weitergehen überlegte ich, warum mein letztes Wegtauchen nicht funktioniert hatte. Ich hatte Lossiemouth bis ins letzte Detail geplant: Das Haus, die Frau, ich sah alles klar und deutlich vor mir, aber als ich verschwinden wollte, funktionierte es nicht. Früher war es mir mit weniger Planung schon besser gelungen wegzutauchen. Doch in letzter Zeit ließ sich mein Gehirn offenbar nicht mehr austricksen, und das beunruhigte mich.

Langsam wurde es wärmer. Ich empfand die Hitze als angenehm, spürte sie bis auf die Knochen; wenigstens das fühlte sich gut an. Ich näherte mich dem Gestrüpp am Fuß des Schlagfelds und wurde gerade etwas entspannter, als ein Fahrradfahrer so dicht an mir vorbeiraste, dass mir beinahe sein Jackenverschluss ins Gesicht schlug. Ich blieb wie erstarrt stehen. Ich hatte ihn nicht gehört. Er sollte vorsichtiger sein. Er hätte klingeln müssen. Ich bekam Herzrasen und es dauerte eine Weile, bis ich mich wieder beruhigte. Ich ging weiter, aber nach wenigen Schritten hörte ich Gesang. Ich blieb stehen und horchte. Im ersten Moment war da nichts, aber dann kam es wieder – viele kleine zittrige Stimmen sangen ein Lied, das so langsam in der Luft schwebte, dass ich es in einem Netz hätte fangen können. Trotz des leisen Gesangs konnte ich die Melodie ausmachen, und sie versetzte mich augenblicklich zurück in eine Schulaula mit abgetretenem Holzfußboden, riesigen burgunderroten Vorhängen und einem an der Wand befestigten Klettergerüst.

Ich verstand den Text nicht genau, aber das machte nichts, denn er fiel mir so schnell und vollständig ein wie früher ein geglücktes Wegtauchen:

Denk an eine Welt ohne Menschen
Denk an eine Straße, in der niemand wohnt
Denk an eine Stadt ohne Menschen
Ohne einen, den wir lieben, um den es sich zu sorgen lohnt
Wir danken dir, Herr, für Familie und Freundschaft
Wir danken dir, Herr, und preisen deinen Namen.

Von allen Liedern, die wir bei der Schulversammlung sangen, mochte ich das am liebsten. Wenn Mrs Eccles die ersten Noten auf dem Klavier spielte, hatte es immer die gleiche Wirkung auf mich: Ich bekam einen Kloß im Hals, straffte die Schultern, reckte das Kinn vor und stellte die Füße zusammen, genau wie wir es sollten, und dann sang ich so gut, wie ich konnte. Ich suchte nach der Quelle des Gesangs und blieb an der Rückseite der Gillygate Primary School hängen, die über struppiges Gras hinweg ungefähr fünfzehn Meter entfernt hinter einer Baumgruppe lag. Ich schlenderte näher heran, um sie besser hören zu können, setzte mich ins Gras und lehnte mich an einen Baumstamm. Aber offenbar hatte ich das Ende der Probe erwischt, denn es kam nur noch eine Strophe, dann schlug das Klavier die letzten hohen Noten an und es folgte Schweigen – kein Gesang drang mehr kostenlos in die Welt hinaus. Meine Beine wollten mir nicht gehorchen, und so blieb ich, wo ich war, und schaute auf einen leeren Spielplatz und die Schule, ein altmodisch aussehendes rotes Backsteingebäude. »Jungen« stand in übertrieben sorgfältiger Schrift über einer roten Tür, »Mädchen« über einer anderen. Der Schulhof war mit einer Raupe bemalt, in deren gewundenem Körper sich Zahlen, ein hopsendes Mädchen und ein paar andere Zeichnungen befanden, die so verblasst waren, dass ich von weitem nicht erkennen konnte, was sie darstellten.

Nach ein paar Minuten öffnete sich langsam die rote »Jungen«-Tür, und Jungen und Mädchen drängelten heraus auf den Pausenhof. Zuerst die richtig Kleinen, die so winzig und unfähig wirkten, dass man nicht fassen konnte, wie ihre Eltern sie auch nur für eine Sekunde aus den Augen lassen mochten. Kurz darauf kam eine Lehrerin in einem langen grünen Rock durch die Tür, und die Kleinen rannten zu ihr und schlangen die Arme um ihr Bein oder schnappten sich einen Arm. Sie wackelte wie ein sich langsam bewegender Maibaum über den Pausenhof, während die Kleinen sie umkreisten und sich anrempelten wie trunkene Bienen. Dann kamen größere Kinder durch die rote Tür, die sich allerdings nicht sonderlich für die Lehrerin interessierten und ihren üblichen Beschäftigungen auf einem abgetrennten Teil des Hofs nachgingen.

Schon nach wenigen Minuten war klar, welche Kinder dazugehörten und welche nicht. Mir fielen sofort zwei Außenseiter auf. Sie spielten zusammen in der Ecke neben einem Baum. Einer hatte volles rotes Haar, das wie ein Helm wuchs und dringend geschnitten werden musste. Seine Augen waren die größten, die ich je gesehen hatte, als wäre er pausenlos erschrocken, als hätte ihm gerade jemand »Buh!« ins Gesicht geschrien. Der andere Junge sah aus, als wäre er eben erst aus einem Kriegsgefangenenlager entlassen worden – kahl geschoren und so dünn, dass man Angst hatte, er könnte selbst an einem Sommermorgen draußen erfrieren. Sonst war niemand in der Nähe – nur sie und ein Baum in der Ecke.

Weiß Gott, was sie dort drüben machten, aber sie beachteten nicht das Treiben um sie herum, die Gruppen von Kindern, die schrien und Spaß hatten und in sämtliche Richtungen rannten. Diese beiden steckten die Köpfe zusammen und quasselten drauflos, und ich fand es schön, dass sie wenigstens sich hatten. Irgendwann landete ein Ball bei ihnen, ein verirrter Schuss von einem Spiel auf der anderen Hofseite. Der Rotschopf holte weit aus, um ihn zu den Jungen zurückzuschießen, aber der Ball landete unter dem Gelächter der Fußballjungen hinter ihm. Die beiden brauchten noch ein paar Versuche, bis sie den Ball erfolgreich in die angepeilte Richtung befördert hatten.

Mein Blick wanderte weiter in die Mitte, wo sich die Mädchen versammelten und die Prinzessinnen herrschten. Obwohl noch keine elf Jahre alt, waren sie leicht auszumachen, die beiden hübschen kleinen Dinger, eine blond, eine brünett, tadellose Schuluniformen und glänzende Schuhe, die Pferdeschwänze hüpften hinter ihnen her, so wie die nicht so hübschen, die mithalten und mitreden wollten. Ich hätte den ganzen Tag dasitzen und den Albernheiten und doofen Spielen zusehen können, aber eine Pfeife blies und alle machten sich auf den Weg zurück durch die roten Tore. Schließlich war das letzte Kind verschwunden, die Tür knallte zu und der Pausenhof war wieder leer. Eine Wolke schob sich vor die Sonne, meine Gedanken waren wieder bei dem toten kleinen Jungen in Clifton, und ich war so traurig, dass ich mich ein paar Minuten lang nicht rühren konnte. Ein alter Mann kam mit seinem Hund vorbei und beäugte mich misstrauisch, als könnte ich gleich aufspringen, ihn mit seiner Hundeleine erdrosseln und den Hund töten. Ich wartete, bis er außer Sichtweite war, damit er nicht dachte, er wird gleich fertiggemacht, dann raffte ich mich auf und ging um das

Schlagfeld herum nach Hause. An diesem Abend probierte ich erst gar nicht wegzutauchen, ich wusste, es würde nicht gehen. Ich lag einfach da und dachte an die Kinder, daran, wie klein sie waren, wie verletzlich. Wie leicht sie zerbrechen konnten. Der Gedanke ließ mich schaudern. Ich hoffte, jemand hatte ein Auge auf sie, auf jedes einzelne von ihnen.

5

Es gibt nur einen Menschen, dem ich fast erzählt hätte, was in Clifton passiert ist. Mum wollte immer, dass ich die Tür zur Vergangenheit geschlossen halte, und hat wie ein Adler über mein Schweigen gewacht. Sie sagte, ich könne von Glück reden, dass mein Name nicht in der Zeitung stand, weil ich noch zu jung war, und ich solle unseren Neuanfang in Raithswaite nicht vermasseln, indem ich über Dinge rede, an denen sich nichts mehr ändern lässt. Und so schwieg ich jahrelang, bis ich es dann fast Fiona Jackson erzählte. Ich lernte sie kennen, als wir beide neun waren, kurz nach unserem Umzug nach Raithswaite. Sie hat sich seitdem kaum verändert – dunkle Augen und dunkles Haar. Ernst und hübsch. Der einzige Unterschied nach sieben Jahren ist, dass ihre Schönheit mittlerweile von Kurven betont wird. Zwischen unseren Häusern befindet sich ein alter Kalksteinbruch, genannt Crosshills. Die Rückwand des Steinbruchs besteht aus achtzehn Metern vertikalem Stein, aus dem Bäume und Gras wachsen; das Becken unten ist ein Labyrinth aus Spuren, jäh aufragenden Felsblöcken und winzigen steilen Hügeln. Seit ein paar Jahren haben Gestrüpp und Bäume die Oberhand gewonnen und der Steinbruch ist jetzt überwiegend grün, nur gelegentlich schimmert noch grauer Kalkstein durch.

Ich war nie jemand, der schnell Freunde findet; ich weiß nicht, wie das geht, und ich habe keine Ahnung, wie Freundschaften normalerweise zustande kommen, aber bei Fiona und mir war der Steinbruch entscheidend. Sie war oft dort, um ihrem Vater und ihren Brüdern aus dem Weg zu gehen, und ich war dort, um mich vor Mum an ihren dunklen Tagen zu verstecken. Wir fanden es beide angenehmer, zusammen herumzuschlendern als einander zu ignorieren, und im Laufe der Jahre fühlten wir uns in der Gesellschaft des anderen wohl. Neuerdings hat sie meistens ihre Musik und Zigaretten dabei. Wenn die Sonne scheint, setzen wir uns hin, wenn es kalt ist, laufen wir herum und sie gibt mir einen Stöpsel ihrer Kopfhörer, was zunehmend schwierig wird, weil ich in sechs Monaten fünfzehn Zentimeter gewachsen bin. Zigaretten bietet sie mir nie an. Nicht dass ein falscher Eindruck entsteht – wir sind keine besten Freunde. Manchmal sehen wir uns tagelang nicht, und manchmal sehen wir uns und sie will ihre Ruhe haben. Aber meistens plaudern wir ein bisschen und gehen spazieren.

Ihr Bruder war der Grund, warum ich es ihr fast erzählt hätte. Er war gerade wegen schwerer Körperverletzung verurteilt worden und sollte eine zweijährige Haftstrafe antreten. Fiona war wütend, aber nicht wegen des Urteils, sondern wegen ihres Bruders. Sie erzählte mir, wie schwer er ihr das Leben gemacht, wie sehr er sie gestresst hatte und wie froh sie war, dass er wegging. Ihre Hände zitterten und sie zog zu schnell an ihrer Zigarette. Mir fiel keine passende Antwort ein. Aber es wurde noch schlimmer, denn plötzlich brach sie in Tränen aus. Wir standen auf der Steinbruchseite nahe meinem Haus, sie schluchzte, und ich war noch nie zuvor mit einem weinenden Mädchen zusammen gewesen. Ich war nutzlos. Natürlich hätte ich sie umarmen und trösten müssen, aber wir hatten uns in all den Jahren noch nie berührt. Ich konnte nicht auf sie zugehen und sie in den Arm nehmen. Allmählich beruhigte sie sich wieder. Sie sagte, es sei gemein, so zu denken, aber sie sei erleichtert über die Verurteilung ihres Bruders, denn das hieß, dass ihre Familie vielleicht eine Zeitlang normal leben könnte. »Das Problem ist, ich kann es keinem sagen«, meinte sie. »Ständig sind

Leute im Haus, es ist wie bei einem Leichenschmaus. Alle schimpfen über den Richter und die Justiz, und ich sitze da und nicke, dabei sehe ich nur, was er getan hat und dass ich ihn nicht ausstehen kann und froh bin, nicht mehr mit ihm unter einem Dach leben zu müssen.« In diesem Augenblick sah sie so traurig aus, so schuldbewusst und müde, als hätte sie etwas Verbotenes gesagt, dass auch ich kurz davor war auszupacken. Ich wollte ihr von dem kleinen Jungen in Clifton erzählen. Ich merkte, wie ich auf die Wörter zurannte. Ich war aufgeregt und erleichtert. Endlich könnte ich es laut aussprechen, und ich war mir sicher, Fiona würde mich verstehen. Mein Mund stand schon offen und ich setzte gerade an, als hinter uns laut geklopft wurde. Wir drehten uns um und sahen Mum am Badezimmerfenster stehen, sie schaute böse und winkte mich ins Haus. Fiona sagte, ich solle ruhig gehen, sie käme allein zurecht. Ich ließ sie weinend im Steinbruch zurück. Mum war immer noch im Bad und putzte eifrig. Ich fragte, was sie wollte, aber sie sagte nur: »Du bist zu lange draußen gewesen«, und scheuerte weiter.

Am Abend saßen wir im hinteren Zimmer und lasen in unseren Bibliotheksbüchern. »Du magst diese Fiona, stimmt's?«, sagte Mum, ohne aufzublicken. Ich bekam keine Gelegenheit zu antworten, denn sie fuhr fort: »Es ist wichtig, Donald, dass du ihr nichts erzählst, was nicht für sie bestimmt ist.« Ich nickte und sagte, das wisse ich. »Wir haben das alles zurückgelassen, als wir aus Clifton weggezogen sind, also lass es bitte auch dort.« Sie blickte von ihrem Buch auf und fixierte mich. Ich schaute zuerst weg. So war meine Mum – wenn sie eine offene Schublade sah, sorgte sie dafür, dass sie sofort geschlossen wurde.

6

Am Tag nach der Lehrerfortbildung wollte ich wie immer während der Mittagspause in die Bibliothek, aber ich sah schon vom Ende des Flurs, dass daraus nichts würde. Die kraushaarige Emma saß an die Wand gelehnt da und strickte wie besessen, und Tom Clarkson kam mit einem Zeichenblock unterm Arm und kopfschüttelnd in meine Richtung. »Nichts zu machen, Donald, die haben eine Konferenz oder so. Wir dürfen nicht rein.« Eigentlich störte mich das nicht, denn ich hatte ohnehin keine Lust, eine Stunde in der Schulbibliothek zu verbringen. Am Ende landete ich zwischen den Bäumen auf dem ungepflegten Rasen mit Blick auf die Gillygate Primary School.

Es war genau wie am Vortag. Die Fußballjungs flitzten dem Ball hinterher, die beiden hübschen Mädchen tanzten händchenhaltend herum, und die Kleinsten tummelten sich um ihre Lehrerin. Der einzige Unterschied war, dass der Junge aus dem Kriegsgefangenenlager allein neben dem Baum stand und vor sich hin murmelte, im Kreis ging, sich den Kopf rieb und ohne seinen rothaarigen Freund verloren wirkte.

Ich beobachtete ihn eine Weile und nahm mir vor, lieber nicht so lange zu bleiben, da hörte ich auf der anderen Hofseite laute Stimmen. Zwei der Fußballjungs wälzten sich auf dem Boden und schlugen mit voller Wucht auf den Kopf des anderen ein. Zielsicher wie eine Flutwelle rannten plötzlich alle Schüler wild durcheinanderschreiend in die Richtung. Die Lehrerin war die schnellste in der Meute, ihr braunes Haar wehte hinter ihr her, als sie zum Epizentrum der Schlägerei gelangte. Einer der wenigen, die sich nicht von der Aufregung anstecken ließen, war der kurzhaarige Junge, der in seiner Ecke blieb. Ich trat unter den Bäumen hervor und ging zum Zaun.

»Hallo«, rief ich. Er schaute hoch und dann um sich, suchte die rätselhafte Stimme. Ich winkte, und als er mich sah, winkte er zurück. Ich bedeutete ihm, zu mir herüberzukommen, und er trottete zum Zaun. Er trug eine gebrauchte Schuluniform, das sah ich schon von weitem – zerfranster Kragen und zerschlissene Manschetten. Ausgeblichene Farben. Er legte den Kopf nach hinten und blickte zu mir hoch. Dann führte er einen Finger zu seiner dreckigen Nase, als wollte er popeln.

»Lass das.«

Er ließ die Hand sinken.

»Wie heißt du?«

»Jake.«

»Wo ist dein Freund heute?«

»Harry?«

»Der Rothaarige.«

»Ja, der ist heute nicht da.«

»Warum nicht?«

Er schüttelte seinen knochigen Kopf und zuckte die Schultern.

»Wahrscheinlich ist er krank«, sagte ich.

»Ja«, erwiderte er.

»Wahrscheinlich hängt er gerade über der Toilette und spuckt Karotten«, sagte ich.

Jake lachte. »Ja, oder er kackt ununterbrochen!«

»Oder beides«, sagte ich. »Sitzt auf der Toilette und reihert in einen Eimer.«

Er lachte wie bekloppt bei der Vorstellung, dass sein Freund in einer derart misslichen Lage war. Sein Lachen wurde zu einem herzhaften Gähnen, und er schlug sich mit der

Hand an den Kopf und rieb sich die Stirn. Ich schaute zur anderen Hofseite. Die Lehrerin gewann langsam Kontrolle über die Situation. Inzwischen standen die beiden Jungen vor ihr, sahen sich an und zuckten immer wieder die Schultern. Sie forderte sie auf, sich die Hand zu geben.

»Wie alt bist du eigentlich, Jake?«, fragte ich.

»Acht«, sagte er.

Die Jungen vertrugen sich offenbar wieder oder taten zumindest so, denn die Aufregung verebbte und die Schüler kamen zurück auf unsere Hofseite und spielten weiter.

»Also, Jake«, sagte ich, »ich bin Donald.«

Ich streckte meine Hand über den Zaun.

Seine kleine Hand fühlte sich in meiner Pranke dünn wie Papier an. Ich passte auf, dass ich nicht zu fest drückte.

»Bis bald«, sagte ich.

»Bis bald«, gab er zurück.

Auf dem Rückweg zur Raithswaite High drehte ich mich noch mal um. Jake stand wieder allein bei seinem Baum.

7

Wir waren von jeher eifrige Bibliotheksbenutzer. In Clifton gewann ich mal einen Wettbewerb, weil ich die meisten Bücher während der Sommerferien ausgeliehen hatte. Mein Sieg überraschte mich, denn ich hatte gar nicht gewusst, dass sie einen Wettbewerb veranstalten. Ich wurde mit einer Bibliothekarin für die Lokalzeitung fotografiert und bekam einen Gutschein über zwanzig Pfund, einzulösen in jedem Buchladen des Landes. Für mich war das eine Riesensumme, aber als ich sie ausgeben wollte, konnte ich mich nicht entscheiden. Nachdem wir über eine halbe Stunde in dem Laden waren und ich Buch für Buch in die Hand nahm und wieder weglegte, hatte Mum die Nase voll und schleppte mich nach Hause. Am nächsten Tag ging sie allein los und kam mit einem Wörterbuch und einem Atlas zurück. Ich war enttäuscht, denn damals wünschte ich mir Bücher über Raumschiffe und Außerirdische, aber im Laufe der Jahre habe ich bei den Hausaufgaben beide Bücher ziemlich oft benutzt. Ich verstand also ihre Entscheidung.

Inzwischen gehe ich regelmäßig nach der Schule in die Bibliothek. Dadurch bin ich länger von Mum und dem Haus weg, und ich kann Hausaufgaben machen oder für ein neues Wegtauchen recherchieren. In der Bibliothek sah ich Jake wieder. Er saß in der Ecke mit den kleinen Plastikstühlen und las ein Buch.

»Alles klar, Jake?«

Er sah zu mir hoch. Sein Gesicht war schmutzig und hatte eine ordentliche Wäsche nötig. Er schien sich nicht zu erinnern.

»Donald«, sagte ich. »Von letzter Woche.«

»Ja, klar. Hallo, Donald.«

»Alles in Ordnung mit dir?«, fragte ich wieder.

Er nickte, und ich ließ mich auf einen Stuhl nieder. Meine Knie berührten fast mein Kinn.

»Schön, nicht in der Schule zu sein, oder?«

»Ja«, sagte er.

»Es ist immer schön, nicht in der Schule zu sein, stimmt's?«

Er lachte und sagte: »Ja, immer schön.«

Ich fragte, ob er gern in die Schule ging, aber offenbar wusste er nicht, was er darauf sagen sollte, deshalb fragte ich ihn, ob er Bücher mochte. Darauf wusste er eine Antwort.

»Ja, Horrorbücher.«

»Hast du da gerade eins?«

»Ja, ich hab schon fast alle gelesen.«

»Bücher über Dinosaurier?«, fragte ich.

Er zuckte die Schultern. Vermutlich war er dafür schon zu alt.

»Bücher über Fußball?«

Er schüttelte den Kopf. Natürlich keine Bücher über Fußball.

»Horrorbücher«, sagte ich.

»Ja, Geister und Dämonen, Horror und solche Sachen.«

»Ich mag Bücher auch gern. Ich lese ziemlich viel. Lesen ist toll, oder?«

»Manchmal«, sagte er.

»Also, ich geh dann mal los, Jake. Bis bald.«

»Bis bald, Donald«, sagte er. Das berührte mich. Mein Name wurde selten so freundlich ausgesprochen.

Er war ziemlich oft da, allein in der Kinderecke, die Nase in ein Buch gesteckt, oder er saß an einem der Computer und spielte vor sich hin. Manchmal, wenn seine freie halbe Stunde ablief, spendierte ich ein Pfund, damit ihm noch ein bisschen Zeit blieb. Wenn er sich langweilte, setzte er sich zu mir und wir plauderten darüber, was er so getrieben hatte. Er erzählte mir alles über seinen Freund Harry. Dass er sämtliche Computerspiele hatte, dass seine Familie reich war und welches Auto Harrys Dad fuhr. Er erzählte mir von den Lehrern, denen, die er mochte, und denen, die er hasste. Manchmal half ich ihm bei den Hausaufgaben, und dann wieder saßen wir beide bloß da und lasen.

Es war ein Samstagnachmittag, als ich in die Bibliothek wollte und die Tür verschlossen war. Dann sah ich das Schild: *Aufgrund eines Rohrbruchs bleibt die Bibliothek geschlossen. Wir bitten um Verständnis. Zurückgebrachte Bücher bitte in den Briefkasten.* Ich machte kehrt und wollte nach Hause gehen, da rannte mir Jake auf der Straße entgegen, sein Rucksack wippte auf und ab. Für einen kleinen Jungen mit dünnen Beinen lief er ziemlich schnell. Als er mich sah, grinste er und winkte.

»Sie haben geschlossen, Jake«, sagte ich, als er vor mir stand.

»Oh«, sagte er, ohne nach dem Grund zu fragen.

»Sie hatten einen Rohrbruch. Wahrscheinlich alles überschwemmt«, erklärte ich.

»Ja«, sagte er und nickte.

»Gehst du jetzt wieder heim?«, fragte ich.

»Ich geh zum Spielplatz«, sagte er, und wir machten uns zusammen auf den Weg.

Es war der einzige Samstag im Jahr, an dem in Raithswaite die Sonne schien und der Himmel blau war. Die Häuser und Gebäude in der Stadt wirkten kleiner als sonst, geschrumpft in der Hitze, schüchtern angesichts der beiden fröhlichen Fremden, deren Blick auf sie gerichtet war. Die Straßen schimmerten heiß, die Leute trugen Shorts und T-Shirts, und vielleicht, dachte ich, war es ja doch nicht schlecht, dass die Bibliothek geschlossen hatte, vielleicht war es gut, an einem solchen Tag im Freien zu sein. Wir gingen zehn Minuten zum Spielplatz, der gleich am Ende von Jakes Straße lag und weniger ein Spielplatz war denn ein verwahrlostes, am anderen Ende der Fox Street gelegenes Gelände. Selbst an einem schönen Samstag wie heute war niemand da.

Wir testeten die Schaukeln und das Klettergerüst und alberten herum, bis Jake sich langweilte.

»Hast du ein paar von deinen Büchern im Rucksack?«, fragte ich, worauf er nickte.

»Dann lass uns doch eine Horrorgeschichte lesen«, schlug ich vor.

Er holte ein Buch heraus, hielt es hoch und sagte: »Das wollte ich zurückbringen. Es taugt nichts. Ist nicht mal unheimlich.«

»Je unheimlicher, umso besser?«, fragte ich.

»Klar«, sagte Jake, und da kam mir eine Idee.

»Das Buch ist vielleicht in der Sonne und mitten am Tag langweilig. Vielleicht ist es unheimlich, wenn man es in einem Geisterhaus liest.«

»Ein Geisterhaus?«, sagte er.

»Bist du schon mal in einem gewesen?«

Jake schüttelte den Kopf. »In den Schultoiletten spukt es angeblich, aber das glaube ich nicht.«

»Möchtest du mal ein Geisterhaus sehen?«

Er kniff die Augen zusammen und sah mich an.

»Weißt du, wo eins ist?«

Ich bejahte.

Wir verließen den Spielplatz. Jake war so aufgeregt, dass er vorauslief und ich ihn am Kragen ziehen musste, damit er langsamer ging.

Das Haus war keine Erfindung von mir. Irgendwo in

Raithswaite gibt es ein Haus, in dem es angeblich spukt, ein Haus, in dem etwas Schlimmes passiert ist, allerdings war ich mir nicht sicher, wo es stand. Aber ich kannte ein verlassenes Haus, das so aussah, als ob es darin spuken könnte; wenn einem jemand erzählen würde, dass es darin spukt, würde man es sofort glauben. Ich dachte an das alte Steinbruchhaus, ein verfallenes Ding an der Südseite, ungefähr achthundert Meter von meinem Haus entfernt. Es befindet sich neben dem alten Weg, auf dem früher die Lastwagen ein- und ausfuhren, und stand leer, seit wir nach Raithswaite gezogen waren. Es liegt zurückgesetzt von der Straße unter hohen Bäumen. Jedes Jahr verfällt es etwas mehr, und in dunklen Nächten, wenn der Nebel von den Bergen herunterzieht und Frost in der Luft liegt, jagt einem dieses verlassene, ramponierte Haus einen Schauer über den Rücken. Früher wohnte dort der Steinbruchaufseher, der Mann, der die Lastwagenladungen protokollierte, nachts über den Steinbruch wachte und sicherstellte, dass nichts gestohlen wurde. Als der Steinbruch schloss, verlor er seine Arbeit und zog aus; seitdem hat dort niemand mehr gewohnt. Das war mein Geisterhaus für Jake, und ich hoffte, dass es in der Sonne nicht zu freundlich aussah.

Im Gehen erzählte ich Jake die Geschichte von dem echten Geisterhaus. Es ist eine Geschichte, die von Jahr zu Jahr in der Highschool weitererzählt wird, und alle älteren Kinder in Raithswaite kennen sie. Sie fängt damit an, dass Mr Lorriemore seine Jagdutensilien zusammenpackte. Er war unten, es war ungefähr halb fünf Uhr morgens. Er hatte seinen Flachmann gefüllt, seine Tasche gepackt und überprüfte noch mal sein Gewehr. Er richtete den Lauf gerade himmelwärts, als seine Frau aus dem Bett stieg, um sich zu vergewissern, dass er seine Brote nicht vergessen hatte. Sie stand vor dem Bett, griff nach ihrem Morgenmantel und wollte gerade durchs Zimmer gehen, als Mr Lorriemore einen Nahschuss simulierte. Er drückte ab, doch in der Kammer war eine Kugel, die nicht hätte da sein dürfen, und diese Kugel durchbohrte die Dielenbretter und traf seine Frau. Sie fiel zu Boden und war auf der Stelle tot. Es ging das Gerücht, Mr Lorriemore hätte seine tote Frau im Arm gehalten und geweint, als der Krankenwagen und die Polizei eintrafen. Eingehüllt in eine Decke wurde Mrs Lorriemore aus dem Haus getragen, während Mr Lorriemore verhaftet und abgeführt wurde. Man munkelte viel über einen anderen Mann und über Rache vonseiten Mr Lorriemores, doch als die Polizei ihre Untersuchungen durchführte, bestätigte sich Mr Lorriemores Geschichte in allen Einzelheiten. In der Decke war ein Loch, und der Einschusswinkel der Kugel belegte, sie konnte nur von unten gekommen sein. Die Polizei kam zu dem Schluss, dass ein Mann, der sich an seiner treulosen Frau rächen wollte, nicht aufs Geratewohl durch Dielenbretter schießen und hoffen würde, mit dem ersten und einzigen Schuss einen Glückstreffer zu landen. Irgendwann zog Mr Lorriemore aus Raithswaite fort und wurde nie wieder gesehen. Einige behaupteten, sein schlechtes Gewissen habe ihn aus der Stadt getrieben, aber die gängigere Version war, er habe es nicht ertragen, in dem Haus zu sein und zu hören, wie der Geist seiner Frau den Namen eines anderen Mannes rief.

»Dann hat er sie also doch erschossen?«, fragte Jake.

»Ja.«

»Und sie ist der Geist?«

»Ja.«

»Und da gehen wir hin?«

»Genau.«

Er lief sofort wieder schneller.

Ich war schon lange nicht mehr in dem Haus gewesen, aber ich wusste, dass man am besten durch die Hintertür hineingelangte, die vor Jahren gewaltsam aufgebrochen worden war. Wir blieben am Gartentor stehen, beide erhitzt vom Gehen in der Sonne, und ruhten uns kurz aus.

»Willst du immer noch reingehen?«, fragte ich. Jake nickte, ich öffnete das Tor, und wir gingen auf dem Weg um die Seite herum nach hinten.

»Alles in Ordnung?«, fragte ich, als wir dastanden und das Haus betrachteten.

»Das ist es? Das Haus, in dem es spukt?«, fragte er. Ich sagte ja, und er musterte es, als ob er mir glaubte. Ich folgte seinem Blick. So wie das Haus aussah, wäre wohl jeder Achtjährige überzeugt gewesen, dass es darin spukt. In den besten Zeiten des Steinbruchs war es vermutlich weiß gewesen, jetzt aber stand es grau und trostlos da, kaputt und traurig. Trotz der Sonne an diesem Samstagnachmittag glaubte sogar ich beinahe, dass es darin spukte.

»Sollen wir reingehen?«, fragte er.

»Bist du sicher?« Ich wusste, er war sicher, aber ich wollte die Spannung erhöhen.

»Ja, lass uns reingehen, aber du gehst zuerst.«

Wir näherten uns der Tür. Ich verpasste ihr einen harten Stoß mit der Schulter und drückte sie auf. Ich trat ein paar Schritte in die kühle Dunkelheit und wartete. Als ich mich zu der halb offenen Tür umdrehte, merkte ich, dass Jakes Selbstvertrauen verflogen war. Er stand gleich hinter der Tür, eine kleine schwarze Silhouette vor dem sonnigen Tag, einen Schritt von Tageslicht und Garten entfernt.

»Du musst nicht weitergehen, weißt du.« Ich wollte ihn nicht zu etwas bewegen, das er nicht wollte.

»Nein«, sagte er. »Ich will aber.« Er machte allerdings keine Anstalten weiterzugehen.

»Wir können uns auch in den Garten setzen, unsere Bücher lesen und das Haus betrachten«, sagte ich.

»Ich möchte rein«, sagte er, aber sein Körper verriet ihn, denn er blieb angewurzelt wie ein Baumstumpf stehen.

»Soll ich dich an die Hand nehmen?«, fragte ich. Er nickte. Ich ging zurück, nahm ihn an die Hand und sagte: »Wenn du Angst hast, gib Bescheid, dann gehen wir sofort.« Er nickte wieder, und wir traten langsam in den Flur. Er kicherte vor Aufregung.

»Hast du ihn schon gesehen? Ihren *Geist*?«

Er flüsterte das Wort, als könnte das bloße Erwähnen eine Erscheinung auslösen.

»Nein. Gesehen noch nicht, aber gehört.«

»Und wie hört sie sich an?«

In Erwartung meiner Antwort klammerte er sich fester an meine Hand. Ich spürte, wie das Blut unter seinen warmen Fingern pochte. Er trat näher, um meine Antwort zu hören.

»Sie klingt, als würde sie sterben«, sagte ich. »Ich wohne auf der anderen Steinbruchseite, und manchmal höre ich sie nachts wehklagen. In stillen Nächten hallt ihre Stimme weithin wider und klingt wie Wolfsgeheul. Leute, die ihre Geschichte nicht kennen, haben in den vergangenen Jahren immer wieder die Polizei gerufen, aber sie haben nie was gefunden und kommen deshalb nicht mehr.«

»Vielleicht kommen sie nicht mehr, weil sie Angst haben«, meinte Jake.

Inzwischen stand er ganz dicht bei mir, er trat mir fast auf die Füße. Ich spürte, dass er begeistert und ängstlich zugleich war. Entweder würden wir jetzt sofort ins Haus gehen oder zurück in den Garten rennen – ich wusste nicht, was.

»Also, die Leute erzählen tatsächlich, dass Polizisten, die schon alle möglichen Verbrecher gefangen und verstümmelte Leichen bei Verkehrsunfällen gesehen haben, nicht mehr hierherkommen wollen, wenn sie einmal hier gewesen sind.«

»Wirklich? Lass uns noch ein Stück weitergehen.«

Ich musste ein Lachen unterdrücken. Wir gelangten zu einer offenen Tür auf der linken Seite, schauten hinein und sahen ein leeres Zimmer, in dem es heller war. Die Sonne war stark genug, um das dichte Gartengestrüpp und die gesprungenen, schmutzigen Fenster zu durchdringen. Das Licht machte Jake mutiger. Er ließ meine Hand los und trat ein.

»Hat er sie von hier aus erschossen?«, fragte er. Ich schaute zur Decke und sah jede Menge Risse und Schrammen, die meine Geschichte glaubwürdig erscheinen ließen.

»Wahrscheinlich«, sagte ich. »Siehst du das Loch dort in der Decke? Das könnte von einer Kugel stammen.«

Jake grinste, als er hochsah. Mittlerweile war seine Aufregung größer als seine Angst, und er wollte unbedingt den Rest des Hauses sehen. Wir schlenderten im Erdgeschoss herum und stellten fest, dass die meisten Zimmer genauso kahl waren wie das erste. Dort, wo vermutlich die Küche gewesen war, standen noch ein paar Schränke und eine Spüle an der Wand, aber sonst nichts.

»Glaubst du, hier gibt es Ratten?«, fragte Jake. Ich antwortete, natürlich gebe es Ratten, und das gefiel ihm fast so sehr wie die Vorstellung von der erschossenen Frau und ihrem Geist. Als wir nach oben gingen, wollte er wieder meine Hand nehmen, aber ich sagte, ich müsse vorausgehen, um zu testen, ob die Holzdielen unser Gewicht hielten. Langsam stieg ich die knarrenden Stufen hoch und rief ihn dann zu mir nach oben. Da waren drei Schlafzimmer, alle leer, und ein heruntergekommenes Bad. In einigen Räumen klebten noch verzweifelte Tapetenreste an den Wänden, als hinge das Gerippe des Hauses davon ab. Mit einem festen Schulterstoß gegen die Wand hätte man das ganze Haus zum Einsturz bringen können. Wir setzten uns in das Zimmer, in dem Mrs Lorriemore angeblich ums Leben gekommen war, lehnten uns an die Wand und horchten auf gespenstische Geräusche. Als da nichts war, was auch nur annähernd einem Geist glich, packte ich ihn an der Schulter und sagte: »Jake. Was war das?«

»Was?«, fragte er, lehnte sich vor und lauschte.

»Das!«

»Da ist nichts«, sagte er, und ich drehte mich rasch um und schrie: »Buh!« Er kreischte so laut, dass der Lärm jedes Zimmer im Haus durchdrang und in der Luft schwebte, aber er fing fast gleichzeitig zu lachen an und genoss das Ganze, das merkte ich. Wir saßen eine Weile da, aber irgendwie war es nicht der richtige Zeitpunkt zum Lesen. Jake interessierte sich ohnehin mehr für das Geisterhaus als für die Horrorgeschichte in seinem Rucksack. Eine halbe Stunde später, nach einigem Geplauder und weiteren erfundenen Geschichten, sagte ich, er müsse langsam nach Hause. Als wir die Treppe hinuntergingen, sagte ich: »Wirklich schade, dass wir heute Abend nicht da sind, Jake, dann kommt sie nämlich raus und fängt mit ihrem Wehklagen an.«

»Du meinst, heute Abend ist sie da?«

»Samstagabends treibt sie immer ihr Unwesen und klagt am lautesten«, erklärte ich ihm. »Ihr Mann hat sich jeden Samstagabend mit seinen Freunden in der Stadt getroffen und sinnlos betrunken. Sie hat die Gelegenheit genutzt und sich mit dem anderen Mann getroffen.«

»Dann sollten wir heute Abend vielleicht wiederkommen«, sagte er, und darüber musste ich lachen. Selbst ich wollte nicht im Dunkeln durch das Steinbruchhaus schleichen. Wir gingen in Richtung seines Hauses, und jetzt, da am Ende des Wegs keine Geisterhäuser warteten, wurde sein Schritt etwas verhaltener.

»Gehst du am Samstagnachmittag nie irgendwohin, Jake?«, fragte ich ihn.

Er schüttelte den Kopf.

»Merkt deine Mum es nicht, wenn du so lange weg bist?«

»Steve kommt immer vorbei, dann sind sie gern allein, und ich muss bis zum Abendessen draußen spielen. Können wir noch mal zu dem Geisterhaus gehen?«

»Nächsten Samstag?«

Er nickte.

»Wenn du möchtest.«

»Vielleicht sehen wir sie nächste Woche«, sagte er.

Wir verabredeten uns am Spielplatz, dann begleitete ich ihn ans Ende der Fox Street und wartete, bis er hinter seiner Haustür verschwand.

Mir blieb nichts anderes übrig, als nach Hause zu gehen. Nach dem unbeschwerten, fröhlichen Nachmittag machte ich mich mit einem flauen Gefühl auf den Weg. Das Einzige, worauf ich mich für den Rest des Tages freuen konnte, waren Mum und ihre Launen. Ich ging die Straße entlang, sah unser Haus und wurde langsamer – es lag Ärger in der Luft, ich konnte es riechen. Manchmal genügt ein einziger Blick auf unser Haus und ich sehe den bevorstehenden Streit. In hundert Metern Entfernung blieb ich stehen und dachte nach. Ich überlegte, ob ich vielleicht gar nicht erst reingehen sollte, doch mir war klar, dass ich den Ärger damit nur hinausschob, nicht aber vermied. Je früher ich es hinter mich brachte, desto besser – es war wie beim Übergeben: raus damit, Zähne putzen und weitermachen. Ich schloss die Haustür hinter mir und achtete darauf, nicht so leise zu sein, als würde ich mich hineinschleichen, ich achtete aber auch darauf, die Tür nicht zuzuknallen und sie damit zu reizen. Aus der Küche drang Lärm. Ich folgte dem Geräusch. Sie stand an der Spüle, die Schultern bis zu den Ohren hochgezogen, und putzte einen Topf, als wäre er ein böser Hund, der sich im Dreck gewälzt hatte. Sie drehte sich nicht um.

»Du musst Strafgebühr zahlen. Für ein Buch über Fischergemeinden in Schottland oder sonst irgendeinen Blödsinn. Sie brauchen es dringend, weil sie es aus Oxford oder irgendwoher bestellt haben und es jetzt zurückschicken müssen.«

Während sie weiter den Topf scheuerte, sah ich den Brief und den aufgerissenen Umschlag auf dem Küchentisch.

»Sie sollten deine unsinnigen Anfragen einfach ignorieren.«

Ich betrachtete ihren angespannten Rücken und ihre kräftigen Arme, die sich beim Schrubben energisch hin und her bewegten – und plötzlich kamen mir Sätze in den Sinn, aber eine innere Stimme warnte mich, sie auszusprechen. Eine innere Stimme sagte mir, ich sollte schnell nach oben in mein Zimmer gehen und alles wäre gut.

»Du darfst meine Post nicht öffnen. Es ist verboten, die Post eines anderen zu öffnen.«

Das war's. Sie wirbelte herum und ging auf mich los. Sie fuchtelte mit ihren weißen Zuckerwattearmen herum und spritzte Schaum in die Luft. In ihren Augen funkelte eine irre Wut. Sie ließ sich über das ewige Recht einer Mutter aus, jeden Gedanken und jeden Schritt eines Kindes zu kennen, das sie geboren hatte.

»Und das gilt ganz besonders für dich, Donald. Bei allem, was du dieser Familie angetan hast. Du kannst mir wirklich nicht vorwerfen, dass ich immer wissen will, was *du* so treibst.« Ich verdrückte mich langsam zur Tür in Richtung meines rettenden Zimmers und wünschte, ich hätte sie nicht provoziert. Ich wollte keine Hysterie und keine Wut. Ich wollte sicher und ruhig in meinem Zimmer sein und an den Spaß mit Jake im Geisterhaus denken. Mehr nicht.

8

Freundlichkeit ist wichtig. Das lernte ich schon früh, und ich habe mich stets bemüht, es nicht zu vergessen. Die erste freundliche Tat, an die ich mich erinnere, widerfuhr mir in Clifton, als ich acht Jahre alt war, ein paar Monate vor dem Vorfall. Damals war alles noch gut, und ich weiß, ich war ein glücklicher kleiner Junge. Nur mittwochabends und donnerstagmorgens war ich nicht glücklich. Mittwochabends weinte ich mich immer in den Schlaf, weil wir am Donnerstagmorgen Schwimmen hatten. Wir hatten in dem Jahr mit dem Unterricht angefangen, und alle in der Klasse waren begeistert und drängten in den Bus, als wären wir auf dem Weg zu einer Party. Allerdings hatten sie auch alle nichts zu befürchten, weil sie schon schwimmen konnten. Ich hatte gerade erst Fahrradfahren gelernt, war in meinem ganzen Leben noch nie in der Nähe eines Schwimmbeckens gewesen und hatte mir für die erste Schwimmstunde extra eine Badehose kaufen müssen. Nach sechs Wochen war ich das einzige Kind, das immer noch im seichten Becken herumplanschte, und während ich mich weigerte, meinen Kopf auch nur eine Sekunde unter Wasser zu tauchen, wachte unser Lehrer Mr Bowering über mich. Der Rest der Klasse amüsierte sich quietschfidel im tiefen Wasser, ich bewunderte den Mut meiner Mitschüler. Ich erzählte keinem von meiner großen Angst, ich konnte mein blankes Entsetzen nicht ausdrücken, aber jeden Mittwochabend malte ich mir aus, wie ich ertrank, wie mir das Wasser über den Kopf stieg, in die Nase floss, durch die Ohren strömte, mein Inneres ausfüllte und mich schwer machte, bis ich wie ein sterbendes Schiff versank. Jede Woche hatte ich Angst, man würde mich zwingen, ins tiefe Becken zu gehen, und ich war sicher, dort würde ich, inmitten von Geplansche, Lärm und Chaos, auf den Grund sinken und ertrinken, ohne dass es jemand bemerkte.

Wir kamen aus dem Umkleideraum, stellten uns in einer Reihe auf und warteten auf Anweisungen. Eine Reihe fast nackter Grundschulkinder in allen Formen und Größen, vor uns das schimmernde Wasser, stumm und drohend – angsteinflößend wie ein Hai. Mrs Hesketh, die Schwimmlehrerin, stand bereits da, um uns die Aufgabe der Woche zu verkünden. Es war immer etwas, das meine Befürchtungen bestätigte, etwas, bei dem man mit dem Kopf unter Wasser musste. Aber jede Woche, wenn sie uns in Gruppen aufteilte, holte mich Mr Bowering still und heimlich beiseite und brachte mich zum Nichtschwimmerbecken, worüber ich so erleichtert war, dass mir Tränen in die Augen stiegen. Jede Woche versuchte er, mir zu helfen und mein Selbstvertrauen zu stärken, aber meine Angst wurde jede Woche größer, ich durfte immer früher aus dem Wasser und in die Umkleidekabine gehen. Er wurde nie ungeduldig, verlor nie die Beherrschung. Irgendwann redete er offenbar mit meiner Mum, denn nach einer Stunde kam er zu mir in die leere Umkleidekabine. Er setzte sich und erklärte mir, ich solle nach der Schule vor dem Lehrerzimmer auf ihn warten, wir würden noch mal schwimmen gehen. »Ich und du, wir knacken deine krankhafte Angst«, sagte er und klopfte mir auf die Schulter. »Schwimmen sollte eigentlich Spaß machen.«

Nach der letzten Unterrichtsstunde fühlte ich mich wie ein Todeskandidat und wartete voller Angst vor der braunen Lehrerzimmertür. Wir fuhren zum Schwimmbad, er zahlte unseren Eintritt und ging mit mir in den Umkleideraum. Aber diesmal kam er nicht wie sonst in Shorts, T-Shirt und Flipflops aus seiner Kabine, sondern nur in einer blauen Badehose. Er war groß und kräftig, die dichten dunklen Locken auf seinem Kopf bedeckten auch seine Arme und Brust. Die Behaarung führte aus seiner Badehose in einer dichten dunklen Linie über den Bauch und breitete sich wie ein Paar haariger Flügel über der Brust aus. Als er vor mir herging, fielen mir auf seinem Rücken zwei Stellen mit dünnerem Haar auf, eine über, eine unter seinen Schulterblättern – wie kleine, in die Haut genähte Haarpolster. Es war komisch, einen Lehrer so nackt zu sehen. Ich wusste nicht, wohin ich schauen sollte, aber ich achtete darauf, dass ich nicht auf die dicke Beule vorne in seiner Hose starrte, die bei keinem der Schüler in meiner Klasse so sichtbar hervortrat.

An diesem Nachmittag war kaum jemand im Becken, nur ein altes Paar schwamm langsam im Bruststil die hintere Bahn auf und ab. Als Mr Bowering die Stufen ins tiefe Becken stieg, wuchs meine Panik. Ich spähte verzweifelt zum sicheren, seichten Wasser, aber er sah meinen Blick und sagte: »Nicht heute, Donald. Heute gehen wir einen Schritt weiter.« Das war's, dachte ich. Gleich werde ich ertrinken. Clifton Baths, 16.30 Uhr, Donnerstagnachmittag. Sobald er im Becken war, ließ er sich nach unten sinken und blieb dort mehrere Sekunden, bevor er wieder aus dem Wasser schoss. Er zog sich zum Rand und schüttelte sich das Wasser vom Kopf. »Siehst du, Donald, es ist ganz einfach.« Ich wollte nichts damit zu tun haben.

Ich stieg ins tiefe Ende mit dem Gefühl, dem Tod entgegenzugehen, aber sobald mir das Wasser bis zur Brust reichte, spürte ich Mr Bowering hinter mir, der mich im Notfall gehalten hätte. Ich umklammerte trotzdem den Beckenrand, bis mir die Finger wehtaten. Wir fingen mit Wassertreten an, und als ich das beherrschte, machten wir mit Hundepaddeln weiter. Mir war bei beidem nicht wohl, aber mit Mr Bowering an der Seite verringerte sich meine Angst und allmählich machte ich Fortschritte. Jede Woche forderte er mich mehr, als mir lieb war, aber mein Selbstvertrauen nahm mit jeder Stunde zu. Sechs Wochen lang unterrichtete er mich außerhalb der Schulzeit; danach schwamm ich ganze Bahnen im tiefen Becken, sprang munter ins Wasser und tauchte völlig unter. Einmal forderte Mr Bowering mich vor der ganzen Klasse auf, vom Sprungbrett ins tiefe Becken zu springen. Als ich die Wasseroberfläche durchbrach und die ganze Klasse jubelte, kam ich mir vor wie ein Filmstar. Und das Beste war: Ich hatte keine Angst mehr. So erfuhr ich, was Freundlichkeit ist. Ich lernte, dass es manchmal wichtig ist, sich selbst und seine Zeit jemandem zu widmen, dass man im Leben eines anderen wirklich etwas bewegen kann, wenn man sich nur bemüht.

*

Ich sah Jake während der ganzen Woche nicht. Mum hatte sich in den Kopf gesetzt, dass der Garten überholt werden sollte, darum musste ich da sein und Pflastersteine ausgraben, die Schubkarre leeren, den Zaun mit Holzschutzmittel streichen und im Schuppen Frühjahrsputz machen. Sie wollte mich sofort nach der Schule im Haus haben, und mich zu weigern hätte mehr Ärger gebracht, als den Mund zu halten und alles zu erledigen. Es machte mir ohnehin nicht viel aus. Die körperliche Arbeit hielt mich vom Grübeln ab, laugte mich aus und ließ mich gut schlafen. Als der Samstag schließlich näherrückte, freute ich mich auf unser Wiedersehen. Ich wachte gutgelaunt auf, glücklich darüber, mich auf etwas freuen zu können, und brach eine gute halbe Stunde vor der verabredeten Zeit auf. Aber er kam nicht. Zwei Stunden lang wartete ich. Im Gegensatz zur vorigen Woche, als die Sonne geschienen hatte, war das Wetter dazu nicht gerade geeignet.

Der Wind wehte scharf und zielte auf meinen Hals, außerdem drohte es jeden Moment zu regnen. Da saß ich, auf einer Bank auf einem Spielplatz am falschen Ende der Stadt, mit einem Rucksack voller Horrorgeschichten für kleine Jungen, die ich mir aus der Bibliothek geholt hatte. Ich kam mir blöd vor. Als mir klar war, dass er nicht auftauchen würde, ging ich die Fox Street mehrmals auf und ab und spähte zu seinem Haus, aber nichts deutete darauf hin, dass jemand zu Hause war. Dann kam mir ein anderer Gedanke. Vielleicht war er ja direkt zum Geisterhaus gegangen. Ich eilte sofort hin, aber alles war verlassen, weit und breit niemand zu sehen. Als ich schließlich aufgab und nach Hause trottete, war ich nicht mehr verärgert, sondern besorgt. Wenn nun etwas passiert war? Vielleicht war er unter einen der gewaltigen Lastwagen von Raithswaite Chemical geraten, die immer viel zu schnell durch die Stadt donnerten. Vielleicht hatte er sich mit seiner Mum gestritten, war weggelaufen und von einem Perversen aufgegabelt worden. Ich stellte mir alle möglichen Schreckensszenarien vor und geriet in Panik. Seit der Sache mit dem kleinen Jungen in Clifton passiert das immer wieder. Ich kann meine Gedanken nicht kontrollieren, alles läuft wie von selbst ab. Ich rede mir ein, dass überall furchtbare Dinge geschehen, die sich durch nichts verhindern lassen. Und obwohl ich weiß, dass es unvernünftig ist, kann ich es nicht kontrollieren, kann ich die negativen Gedanken nicht abstellen. Am Sonntagabend hatte ich ihn sechsmal auf sechs verschiedene Weisen sterben lassen.

Sobald die Mittagsglocke am Montag läutete, machte ich mich auf den Weg zur Gillygate Primary. Als ich das Schlagfeld halb umrundet hatte, sah ich, dass meine Sorgen am Wochenende umsonst gewesen waren. Zwei vertraute Gestalten standen in der Ecke neben dem Baum, und im Näherkommen erkannte ich in der einen Harry mit seinen leuchtenden Haaren und in der anderen den dünnen Jake. Eine warme Welle der Erleichterung überlief mich bei diesem Anblick. Ich ging nicht zu den beiden und blieb gerade weit genug zurück, um mich davon zu überzeugen, dass alles in Ordnung war. Ich beobachtete sie ein paar Minuten lang, dann blies eine Pfeife und alle stürmten in Richtung der roten Tür.

Am nächsten Samstag in der Bibliothek kam er überglücklich zu mir. »Hi, Donald.«

Ich legte mein Buch beiseite.

»Alles in Ordnung, Jake?«

Er nickte.

»Wo warst du letzte Woche?«

Er dachte angestrengt nach, bis er sich irgendwann erinnerte.

»Bei Harry.«

»Ich dachte, wir wollten zum Geisterhaus.«

»Ich musste zu Harry.«

»War es schön?«

Er schüttelte den Kopf.

»Bei ihm riecht es so komisch, und seine Mutter hat Spaghetti gemacht.«

»Magst du keine Spaghetti?«

»Schmecken zum Kotzen.«

Er beugte sich vor und mimte jemanden, der sich übergibt. Mitten im Würgen hielt er plötzlich inne, ihm war etwas Dringlicheres eingefallen.

»Wollen wir jetzt zum Geisterhaus gehen?«, fragte er.

»Hast du wirklich Lust? Wir können auch was anderes machen.«

Aber er wollte definitiv zum Geisterhaus. Er brachte seine neuen Bücher zur Ausleihe, ließ sie stempeln, und wir zogen los. Unterwegs machten wir an einem Eckladen halt, wo ich uns ein paar Dosen Limonade und Schokolade kaufte.

Nach einem kurzen Rundgang, auf dem wir Ausschau nach Geistern und Ratten hielten, landeten wir in dem Zimmer, in dem Mrs Lorriemore erschossen worden war. Ich erzählte ihm, der beste Ort zum Vorlesen einer Horrorgeschichte sei ein Geisterhaus. Wir setzten uns hin und lehnten uns an die Wand, dann wählte er ein Buch aus, aus dem ich vorlas. Als er seine Dose ausgetrunken und die Schokolade verputzt hatte, rückte er näher zu mir, weil er mitlesen wollte. Nach ein, zwei Seiten sank sein Kopf auf meinen Arm. Es war schön, seinen warmen Körper neben mir zu spüren, angenehm und entspannt. Ich las, so gut ich konnte. Ich probierte verschiedene Stimmen aus, und er lachte mich nicht aus, sondern rutschte noch dichter zu mir. Nachdem wir aus mehreren Büchern gelesen hatten, wollte er wissen, ob ich den Geist der Frau und ihr Wehklagen seit unserem letzten Besuch gehört hatte.

»Noch am selben Abend«, sagte ich. Bei dieser Bemerkung löste er sich von mir und schaute mich erwartungsvoll an.

»Erinnerst du dich noch, wie warm es war? Als ich am Abend ins Bett ging, ließ ich das Fenster auf, um frische Luft reinzulassen, aber ich musste es zumachen, weil sie so laut geschrien hat. So schlimm wie noch nie.«

»Wie Wölfe?«, fragte er.

»Wie hungrige Wölfe«, sagte ich.

»Und die Polizei ist nicht gekommen?«

»Keiner hat sein Haus verlassen.«

»Aber wir sind doch auch hier und haben keine Angst.«

»Anscheinend sind wir mutiger als die meisten.«

»Ja, eine feige Bande ist das«, sagte er, fuchtelte eine Weile mit den Armen und schüttelte den Kopf. Was für ein großartiger, kleiner Junge! Nachdem er sich beruhigt hatte, ließ ich ihn noch eine Geschichte aussuchen und las sie ihm vor, dann gingen wir wieder nach draußen.

Wir alberten noch eine Weile im Garten herum, bevor ich ihn nach Hause brachte. Das heißt, Jake alberte herum und ich beaufsichtigte ihn. Er jagte durch die Gegend und tat, als wäre er ein Flugzeug, gab alle möglichen Motorengeräusche von sich und hatte viel Spaß. Ich behielt ihn genau im Auge, damit er dem Teich in der hinteren Ecke nicht zu nahe kam, aber er überraschte mich – er hatte es gar nicht auf den Teich abgesehen, sondern auf den hohen Baum in der gegenüberliegenden Ecke. Er bemerkte ihn auf einem seiner Rundflüge durch den Garten, blieb vor dem Stamm stehen, stemmte die Hände in die Hüften und schaute nach oben ins Geäst. Bevor ich ihn warnen konnte, kletterte er mit Schwung hoch. Ich rannte von der anderen Seite des Gartens zu ihm und rief, er solle vorsichtig sein und runterkommen, aber er fühlte sich zu wohl dort oben. Mir gefiel die Sache nicht – er in Gefahr, und ich konnte nichts unternehmen. Ich überlegte, ob ich ebenfalls hochklettern und ihn überreden sollte runterzukommen, befürchtete aber, er könnte die Konzentration verlieren und fallen. Irgendwann gelang es mir ihn herunterzulocken, aber es dauerte eine Weile. Als er unten war, ging ich in die Hocke, packte ihn an den Schultern, schaute ihm in die Augen und versuchte ihm klarzumachen, wie gefährlich sein unbedachter Ausflug gewesen war und dass er vorsichtiger sein müsse, aber für ihn war das nur Nörgelei, er konnte meine berechtigte Sorge nicht verstehen.

»Ich klettere ständig«, sagte er. »Mir macht das Spaß.«

»Es würde dir bestimmt keinen Spaß machen, wenn du runterfallen und dir einen Wirbel brechen würdest und vom Hals abwärts gelähmt wärst«, sagte ich. Aber noch ehe ich den Satz beendet hatte, stürmte er davon, spielte wieder Flugzeug und sauste im Sturzflug auf eingebildete Städte. Es stimmt: Man darf sie keine Sekunde aus den Augen lassen.

Gefahren ziehen sie geradezu an.

9

Seit wir aus Clifton weg sind, bin ich bei keinem mehr gewesen. Keinem Therapeuten, keinem Psychotherapeuten oder Berater. Gesetzlich wurde es nicht verlangt, und Mum fand es besser, alles möglichst schnell zu vergessen. »Sie haben Tests gemacht, Donald. Mit aus dem Krieg zurückgekehrten Soldaten, die Schlimmes gesehen und getan hatten. Diejenigen, die zu Ärzten gegangen sind und darüber geredet und es immer wieder durchlebt haben, kamen langsamer darüber hinweg als die Soldaten, die den Mund gehalten und einfach weitergemacht haben.« Damit hatte sich das Ganze. Was sie betraf, war die Angelegenheit erledigt, sobald wir die Tür unseres neuen Hauses in Raithswaite hinter uns geschlossen hatten. In der Stadt wusste niemand von dem kleinen Jungen, und bei uns zu Hause wurde nicht über ihn gesprochen. Wir haben diesen Tag nur einmal erwähnt, und auch da nicht richtig. Es war nach dem letzten Polizeiverhör. Ich musste mich an den Küchentisch setzen, und sie schaute mich an und sagte:

»Donald. Hättest du den Unfall irgendwie verhindern können?«

Ich wollte Zeit schinden. »Ich hätte nicht an Nummer fünfundsechzig vorbeifahren sollen«, sagte ich.

»Nein, das meine ich nicht. Hättest du den Unfall in irgendeiner Weise verhindern können?«

Ich schüttelte den Kopf.

»Erzähl es mir«, sagte sie. »Geh das Ganze noch mal für mich durch. Wir sind nur zu zweit, du kriegst keinen Ärger.«

Also erzählte ich es noch mal. Genauso wie ich es auf der Polizeiwache erzählt hatte. Dass ich mit dem Rad gefahren war und ihn erst gesehen hatte, als es zu spät und er plötzlich vor mir war. Sie unterbrach mich.

»Was meinst du mit ›plötzlich‹? Du konntest wirklich *nichts* tun?«, fragte sie. Sie starrte mich an, als würde sie nie wieder blinzeln. Ich blieb bei dem, was ich auf der Polizeiwache gesagt hatte. »Ich wusste erst, was passiert war, als ich aufstand und ihn sah«, sagte ich. Sie holte tief Luft und wiegte den Kopf von links nach rechts, als wollte sie für immer jeglichen Zweifel zerstreuen.

»Gut«, sagte sie. »Überall auf der Welt stoßen Menschen schlimme Dinge zu. Vor dir gab es Tausende, und nach dir wird es noch Tausende geben. Das Beste ist, man rafft sich auf, staubt sich ab und macht einfach weiter.«

Sie schaute mich wieder an. »Was den kleinen Jungen und seine Mutter betrifft ...«

Ich wartete darauf, was sie über den kleinen Jungen und seine Mutter sagen würde, hatte seit Wochen darauf gewartet, aber es kam nichts. Nach einem langen Schweigen schüttelte sie den Kopf und umklammerte ihre Tasse. Das war ihr abschließender Kommentar zu der Sache. Manchmal schien sie zu befürchten, dass ich auch nur daran *denken* könnte. Wenn ich etwa eine Weile schwieg, sah sie mich mit schmalen Augen an, als wollte sie sagen: Donald, untersteh dich, in diesem Haus solche Gedanken zu haben.

Eine Zeitlang half die neue Umgebung. Das Einleben in der Stadt beschäftigte mich voll und ganz. Außerdem hatte ich Mum mit ihren Launen, vor denen ich möglichst in Deckung ging. Aber es ließ mich nie los, und ich konnte es mir auch nicht vorstellen. Ich versuchte meine Gedanken zu kontrollieren. Wenn etwas im Fernsehen lief, das Erinnerungen wachrief, schaltete ich ihn aus. Wenn ich unterwegs war und etwas sah, das mich daran erinnerte, schaute ich weg oder ging in die andere Richtung. Wenn eine Diskussion im Unterricht eine Erinnerung auslöste, schaltete ich ab, ohne Rücksicht darauf, ob es mich in Schwierigkeiten bringen würde. Aber es funktionierte nicht. Man kann einen Gedanken nicht loswerden, nur weil man es will.

Schließ die Augen.

Streich alle Gedanken aus deinem Kopf.

Stell dir keinen Clown vor.

Ich konnte es nie vergessen. Immer wieder kehrte mein Gehirn zu jenem Morgen und seinen Folgen zurück, ich konnte die Sache nicht ruhen lassen, es war wie mit Wespen und Marmelade. Meine Finger kratzten am Schorf, bis die Haut platzte, und dann kratzte ich noch tiefer. Zusammen mit meinem Verstand ist auch die Panik gewachsen. Mit acht Jahren waren Lügen, Schlagen und Treten oder Krieg etwas Schlimmes für mich. Freundlichkeit, miteinander teilen und Fürsorglichkeit waren gut. Das war mein moralischer Kompass. Damals war mir nicht klar, was es *bedeutete*, jemanden getötet zu haben. Dass jede Sekunde, die ich lebte, er nicht mehr lebte. Dass jedes Mal, wenn ich in den Himmel schaute, einen Hund streichelte, ein Stück Kuchen aß, ein Rennen lief, ein Getränk trank, ein Buch las, ins Bett ging, meine Zähne putzte, meine Haare kämmte, aufwachte, mich hinsetzte, aufstand – er das nicht tun konnte. Und seine Eltern waren immer da und sahen, was er nicht tun konnte. Damals begriff ich nicht, dass jeder Augenblick, den ich lebte, er tot war. Ich begriff nicht, dass er nie wieder etwas tun konnte.

Es verging einige Zeit nach dem Vorfall, bis mich solche Gedanken umtrieben. Anfangs verspürte ich nicht das Entsetzen, wie ich es heute empfinde. Damals war ich beunruhigt, aber die wirkliche Tragweite des Vorfalls dämmerte mir erst im Laufe der Jahre. An einem guten Tag kann ich mir einreden, dass ich in einen schrecklichen Unfall verwickelt war, bei dem jemand ums Leben kam, und ich nichts daran ändern konnte. An solchen Tagen kann ich atmen. An einem schlechten Tag bewegt mich nur ein Gedanke: Ich habe einen kleinen Jungen getötet. An einem schlechten Tag ist mein Atem flach, in der Atmosphäre ist nicht genug Sauerstoff, der ganze Himmel enthält nicht genug Luft für meine Lunge. Überall sehe ich Gefahren. Wenn jemand in ein Auto steigt, wenn jemand über eine Straße geht. Wenn jemand sagt, er habe Kopfschmerzen. Ich sehe und höre solche Dinge und rechne damit, dass sie in einer Katastrophe enden. Ich bin überrascht, wenn ich das Haus verlasse und abends heil zurückkomme. Ich bin überrascht, wenn ich feststelle, dass auch Mum den Tag überstanden hat. Ich empfinde es wie hundert kleine Schockwellen, dass überhaupt jemand einen ganzen Tag übersteht. In schlechten Phasen bestehe ich nur aus Schuldgefühlen. Hände, Arme, Füße, Beine, Blut, Knochen – alles harte, feste Schuld. Schwer, schwarz, drückend. Vor ein paar Monaten hatten sie in der Bibliothek ein Buch ausgestellt: *Schuldgefühle – und wie sie uns behindern.* Ich nahm es vom Regal und setzte mich zum Lesen in eine stille Ecke. In einem Kapitel ging es um die Definition von Schuld, ein Kapitel handelte von Selbstachtung, eines vom Ziehen von Grenzen, eines vom Zurückerobern des eigenen Lebens. Beim Durchblättern dämmerte mir, dass dies ein Buch für Leute war, die nicht den geringsten Grund für Schuldgefühle hatten. Es war ein Buch für dumme Leute. In keinem Kapitel stand, was man tun sollte, wenn man jemanden getötet hatte und die Schuldgefühle einen erdrückten. Ich war wütend. Als ich das Buch von der Auslage zu meinem Stuhl getragen hatte, war ich voller Hoffnung gewesen. Vielleicht stand auf den Seiten etwas Hilfreiches. Etwas, das mich von meiner

Schuld freisprach. Ich ließ das Buch auf den Boden fallen, kickte es unter ein Regal, ging nach Hause und weinte. An einem schlechten Tag ist es, als füllte sich mein Inneres mit Wasser, und niemand, nicht mal Mr Bowering, kann mich vor dem Ertrinken retten.

Und dann galt es noch die Hölle zu bedenken. Ich führte sie mir vor Augen. Das musste ich. Vermutlich gibt es nicht viel, wofür man in der Hölle landet, aber einen Zweijährigen zu töten steht bestimmt auf der Liste. Ich recherchierte in der Bibliothek. Der Gedanke an die Hölle schlug mir schon seit Wochen auf den Magen, deshalb hielt ich es für angebracht, mich mit dem zu befassen, was mich erwartete. Ich erklärte der Frau, die mir beim Suchen der Bücher half, ich bräuchte Material für ein Schulprojekt. »Ganz schön schaurig«, sagte sie. »Ich glaube, da hast du nicht das große Los gezogen. Hoffentlich hast du nächstes Mal mehr Glück.«

Sie suchte ein paar Bücher zusammen, und ich nahm sie mit in den Leseraum und fing an zu lesen. Manche Passagen verstand ich überhaupt nicht, aber ich sah jede Menge Bilder von Flammen, brennenden Menschen und dem Teufel. In einem Buch stand, dass Hölle ewige Verdammnis bedeutet, dass es dort immer lichterloh brennt und immer heiß ist. In einem anderen Buch hieß es, dass einige sich die Hölle als kalten, düsteren Ort vorstellen, und in einem wurden sogar die Erde und das Hier und Jetzt als Hölle bezeichnet. Letzteres konnte ich gut nachvollziehen. Aber wenn sich selbst die Gelehrten nicht über die Hölle einigen konnten, wie sollte ich da wissen, was mich erwartete? Ich beobachtete die Bibliothekarin beim Einräumen von Büchern in die Regale, schob meinen Stapel beiseite und ging zu ihr.

»Glauben Sie an die Hölle?«, fragte ich.

Sie unterbrach ihre Arbeit und legte ein großes, dickes Buch auf einen Tisch. Dann richtete sie sich auf, presste die Hände zusammen und starrte ins Leere. Nach ein paar Sekunden schaute sie sich um, ob jemand in der Nähe war, beugte sich zu mir und sagte: »Nein. Ich glaube nicht an die Hölle. Das ist alles nur Hokuspokus.«

Sie roch gut. Sie roch nach Hoffnung.

»Danke«, sagte ich zu ihr.

»Aber schreib das nicht in deinem Aufsatz«, sagte sie.

Hokuspokus. Mit diesem Wort im Kopf verließ ich die Bibliothek. Die Hölle war Hokuspokus. Und das von einer Frau, die wahrscheinlich sehr belesen war. Daran konnte ich mich festklammern.

Aber der Schrecken ist immer da. Manchmal bilde ich mir ein, dass es mir gutgeht, dabei halte ich mir nur eine Weile die Panik vom Leib, Schrecken und Horror sind bloß einen Gedanken weit entfernt. Ich kann das Ganze nur mit dem Gefühl vergleichen, das ich mal mit ungefähr sechs Jahren empfand, lange bevor ich etwas Unrechtes getan hatte. Es war an einem Sommerabend, draußen war es noch warm und hell, aber ich lag schon im Bett. Mein Fenster stand offen, und ich hörte die älteren Kinder auf der Straße Fußball spielen, die Nachbarn waren in ihren Gärten und plauderten miteinander. Sogar meine Mum war unten. Ich war überhaupt nicht müde und hätte gern mit den anderen Spaß gehabt. Ich warf mich hin und her und grummelte vor mich hin. Ich hatte Durst. Ich ging nach unten und wollte fragen, ob ich etwas zu trinken und vielleicht einen Happen zu essen haben könnte. Die Haustür war geschlossen, was ungewöhnlich war; normalerweise ließ Mum sie offen, wenn sie vorne im Garten war. Ich öffnete die Tür, draußen war es silbergrau und still. Ich lief zur Straße und schaute nach rechts und nach links – niemand. Alle Häuser lagen im Dunkeln, nirgends brannte Licht. Das Ende der Welt war gekommen, und ich war sechs Jahre alt und hatte schreckliche Angst. Ich rannte los und pochte laut schreiend an die Türen der Nachbarn. Wo waren alle? Ich war die halbe Straße hochgelaufen, als Mum nach mir rief. Ich drehte mich um und sah sie im Nachthemd in meine Richtung kommen. Ich rannte, so schnell ich konnte, zu ihr. Sie packte mich unsanft. »Gütiger Gott, Donald, was um Himmels willen machst du denn? Warum weckst du die ganze Straße auf?«

»Ich hab euch alle reden hören und wollte etwas trinken, darum bin ich runtergegangen.«

»Es ist ein Uhr morgens.«

»Ich hab alle auf der Straße gehört.«

»Das war vor vier Stunden! Du hast vier Stunden lang geschlafen.«

Ich war verwirrt. Hatte ich wirklich geschlafen? Ich erinnerte mich nicht daran. Ich erinnerte mich nur daran, dass ich überhaupt nicht müde war.

Bei einigen Nachbarn brannte inzwischen Licht im Schlafzimmer und sie beobachteten, wie Mum mich nach Hause schleppte, während sie entschuldigend winkte, mit dem Finger auf mich zeigte und die Schultern zuckte. Ich war immer noch erschrocken und verwirrt, hatte aber keine Angst mehr. Dieser Augenblick, als ich auf der verlassenen Straße stand und dachte, das Ende der Welt sei gekommen und ich mit meinen sechs Jahren sei allein in der Dunkelheit zurückgeblieben, diese entsetzliche Angst ist dasselbe Gefühl, das mich seit dem Tag des Vorfalls begleitet. Es hüpft nicht immer direkt vor mir auf und ab. Manchmal tut es das, aber selbst wenn nicht, lauert es irgendwo, sitzt mir im Nacken. Das Schlimmste ist, dass nichts und niemand mir helfen kann, dieses Gefühl loszuwerden. Mum, die mitten in der Nacht auf der Straße zu mir rennt, lässt die entsetzliche Angst nicht verschwinden.

10

Wir zogen nicht nur um, weil ich im Garten erwischt worden war und Mum Angst hatte, den Eltern des Jungen über den Weg zu laufen. Es gab auch Ärger mit ein paar Jugendlichen. Das erste Mal passierte es wenige Tage nach dem Vorfall. Einmal klopfte es am frühen Abend an der Tür, und als Mum aufmachte, hörte ich eine unbekannte Stimme. Daran war nichts weiter ungewöhnlich, bis die Tür zugeknallt wurde, Mum in das hintere Zimmer kam und mich nach oben schickte. Ihre Stimme klang wie berstender Stein, ich gehorchte ihr sofort. Es war ein Sommerabend, mein Zimmerfenster stand offen, ich hörte Leute draußen auf der Straße. Ich legte mich aufs Bett, lauschte ein paar Minuten lang den Stimmen und fragte mich, was da vor sich ging. Schließlich lief ich zum Fenster und schaute hinaus.

Eine Gruppe von Männern – so jedenfalls wirkten sie auf mich, obwohl sie vermutlich so alt waren wie ich jetzt – stand auf dem Gehsteig vor unserem Haus.

Sie schienen sich zu amüsieren – eine Clique, die in der Abendhitze plauderte, ein paar mit Fahrrädern, einige mit Dosen in der Hand. Sie wirkten harmlos, und ich hätte gern gewusst, was Mum dazu veranlasst hatte, die Tür zuzuknallen und ihre Stimme hochzuschrauben. Dann sah einer hoch und entdeckte mich. Er zeigte lautlos auf mich, und alle drehten sich zu mir. Ihre Reaktion war komisch. Erst johlten sie, dann folgten gespieltes Keuchen und vereinzelte Worte. Einer warf eine leere Dose, aber sie traf mich nicht und landete in der Hecke nebenan. Mum war offenbar so schnell am Telefon gewesen wie ich oben in meinem Zimmer, denn plötzlich kam ein Streifenwagen, und die Jungs zerstreuten sich und warfen im Weggehen noch mehr Dosen. Als die

Polizei weg war und ich wieder nach unten durfte, fragte ich Mum, was an der Tür passiert war, aber sie mochte es mir nicht sagen. Sie schüttelte den Kopf und meinte, es seien nur dumme Jungs gewesen. Dabei lächelte sie krampfhaft.

Am nächsten Abend kamen sie zurück. Diesmal öffnete Mum nicht die Tür, sie schickte mich nach oben und vergewisserte sich, dass ich hinten in ihr Zimmer ging. Ich hörte sie trotzdem schwach, vorne auf der Straße, sie riefen sich oder vielleicht auch mir etwas zu, keine Ahnung. Sie kamen regelmäßig zurück, aber da sie nicht noch einmal mit Gegenständen warfen oder sonst etwas Gesetzeswidriges taten, ignorierte die Polizei Mums Anrufe. Mum wurde durch den ganzen Stress immer stiller und dünner. Ihre Wangen waren hohl, sie hatte dunkle Ringe unter den Augen und ihr Atem roch schlecht. Eines Freitagabends, als ich kurz vor dem Einschlafen war, zischte es unten im Garten. In meinem verschlafenen Zustand stellte ich mir eine große Schlange vor, die dort unten herumkroch, aber dann hörte ich Gekicher, und ich wusste, die frechen Jungs waren wieder da. Ich überlegte, ob ich es Mum sagen sollte, aber sie spielten in unserem Garten ja nur Schlange, und das war besser, als wenn sie an die Haustür klopften und sie zum Weinen brachten, daher ließ ich sie einfach machen.

Am nächsten Morgen wollten wir in die Stadt gehen. Als Mum sich umdrehte, um die Tür zuzuschließen, erstarrte sie mit dem Schlüssel in der Hand. Ich stand hinter ihr und musste zur Seite treten, um den Grund für ihren Schock zu sehen. Jemand hatte in roter Farbe »Psychokiller« quer über die Tür gesprüht. Der Schlüssel landete nie im Schloss. Mum packte mich an der Schulter, schob mich wieder ins Haus und knallte die Tür hinter uns zu. Sie ging sofort in ihr Zimmer. Ich machte das Gleiche, und wir lagen beide schweigend da. Aber vielleicht weinte sie auch leise, wie so oft in letzter Zeit. Es dauerte eine Weile, bis mir dämmerte, dass mit dem Psychokiller ich gemeint war.

Erst als Mr Mole auftauchte, wurde mir klar, dass wir nicht länger in Clifton bleiben würden. Mum war schon vor dem Vorfall nicht gerade der freundlichste Mensch gewesen und wir bekamen nur selten Besuch von Nachbarn, aber Mr Mole mochten wir beide, und er schien uns trotz ihrer Reserviertheit ebenfalls zu mögen. Er besuchte uns ein paar Tage nach dem Unfall, und dann wieder kurz nach der Sache mit dem Graffito. Mr Mole gehörte zu den Nachbarn, in deren Obhut Mum mich ließ, und ich war oft bei ihm zu Hause, las und spielte, während er dasaß und in der Zeitung blätterte, den Abwasch erledigte oder seinen Rasen mähte. Ich mochte Mr Mole, er war mein liebster Nachbar, und wir fragten immer zuerst ihn, ob er auf mich achtgeben könnte.

Manchmal war er nicht da oder es ging ihm nicht gut, und dann musste ich woandershin. Das waren oft lange, mühsame Tage. Mrs Armer bestand darauf, dass ich ihr beim Backen und Saubermachen half, außerdem wollte sie mir das Stricken beibringen. Mr und Mrs Seedall hatten nie Kinder gehabt und beobachteten mich wie ein Tier im Zoo, als könnte ich plötzlich wild werden und alles zerbrechen, was mir in die Hände fiel. Bei den Seedalls durfte man nicht fernsehen, und jeden Nachmittag um drei ging Mrs Seedall nach oben, um ihr Mittagsschläfchen zu halten, dann musste es noch stiller sein als am Vormittag. Mr Seedall hatte keine Ahnung, was er in dieser Stunde mit mir anfangen sollte, aber anscheinend hatte sie ihn angewiesen, mich nicht aus den Augen zu lassen, und so saßen wir im Wohnzimmer und taten beide so, als würden wir lesen. Die Zeit verging unendlich langsam, eine Stunde fühlte sich an wie zehn. Die Stille in ihrem Haus bereitete mich in gewisser Weise auf das Leben mit Mum nach dem Vorfall vor.

Aber bei Mr Mole war es angenehm. Ihn interessierte nicht, was ich machte oder nicht machte. Bei ihm durfte ich überallhin, ohne dass er mir hinterherlief. Ich durfte den Fernseher nach Belieben ein- und ausschalten und mir ansehen, was ich wollte. Wenn er im Garten arbeitete oder ein Zimmer renovierte, durfte ich helfen oder auf der Couch sitzen und meine Bücher lesen, während er vor sich hin werkelte. Ich musste allerdings jeden Nachmittag mit ihm und seinem Hund Scruffy spazieren gehen, durfte aber immer die Leine halten, und das machte ich natürlich gern. Als es Mum mal nicht gutging und sie zu Tante Sandra fuhr, die sich um sie kümmerte, blieb ich für zwei Wochen bei Mr Mole, weil ich Schule hatte und nicht so viel Unterricht versäumen durfte. Es waren herrliche Wochen. Es gab Fish and Chips aus der Frittenbude, er ließ mich Alsterwasser trinken, wenn er sich abends seine Drinks genehmigte, und ich durfte länger aufbleiben als bei Mum. Ich schaute mir Sendungen an, die ich zu Hause nie hätte sehen dürfen. Und ich glaube, nicht nur ich war traurig, als unsere Zeit um war. »Wir hatten es schön miteinander, nicht wahr, Donald?«, sagte er, als Mum auftauchte und ich meine Sachen packen musste. »Er war mir ein guter Gefährte.«

Als er uns nach der Sache mit dem Graffito besuchte, brachte er eine Kiste Gemüse aus seinem Garten mit. Er redete lauter und fröhlicher als gewöhnlich. Ich folgte den beiden in die Küche, beantwortete Mr Moles Fragen und überlegte, wann Mum endlich etwas sagen würde. Aber sie schwieg hartnäckig. Sie starrte die Kiste auf dem Küchentisch an, als enthielte sie tote Welpen, nicht Kartoffeln und Kohl, und ich dachte, sie bricht jeden Moment in Tränen aus. Als klar wurde, dass Mum ihr Schweigen beibehalten würde, strich Mr Mole sich ziemlich oft über den Kopf und sagte ständig: »Tja nun, tja nun.« Er blieb nicht lange, und von da an wusste ich, dass wir nicht mehr lange in Clifton sein würden. Der tote kleine Junge, mein mitternächtlicher Gartenbesuch und die üble Jungenclique – all das zusammengenommen machte ein Leben in Clifton für Mum unmöglich. Mr Mole konnte noch so freundlich sein, uns hielt dort nichts mehr.

11

Ich stahl mich immer öfter aus der Schule und beobachtete die Kinder der Gillygate Primary. Sie waren so lebendig und ausgelassen, dass mir der Gedanke an die fast leere Schulbibliothek nicht sehr verlockend erschien. Es munterte mich auf, ihre Freude zu sehen, wie sie herumrannten, Spaß hatten, sich stritten, umfielen. Vor allem wollte ich mich davon überzeugen, dass Jake gesund und munter war, aber ich beobachtete auch gern die anderen. Ich hatte meine Lieblinge und vergewisserte mich, dass sie alle da waren und alles in Ordnung war. Im Geiste machte ich mir Notizen von Gesichtern und Eigenschaften, damit ich Jake später dazu befragen konnte.

Ein paar Tage später sah ich Jake allein am Baum stehen. Er war auch allein gewesen, als Harry krank war, aber nach einem kurzen Blick in die Runde entdeckte ich auf der anderen Hofseite Harry, der bei den Fußballjungs mitspielte. Er war schlecht, nutzlos, aber sie ließen ihn machen. Außerdem fiel mir auf, dass er sich ziemlich verändert hatte. Sein Haar war gestutzt und ausgedünnt, es stand spitz nach oben, und er trug eine neue Jacke. Aus der Ferne war es schwer zu erkennen, aber allem Anschein nach hatte er auch neue Turnschuhe. Er sah gut aus. Ich wäre gern zu Jake gegangen, um mit ihm zu plaudern und ihn zu fragen, ob alles in Ordnung war, aber im Hof waren zwei Lehrer, ich konnte mich ihm nicht unbemerkt nähern. In dieser Woche sah ich noch mal nach ihm, aber die Szene war die gleiche: ein nutzloser Harry wurde von den Fußballjungs toleriert, Jake stand allein am Baum.

»Wir haben uns gestritten«, sagte Jake am Samstag. Er war eindeutig traurig – ihm fehlte die Wachheit, die er sonst an sich hatte, und er sagte kaum ein Wort. Er öffnete sich erst, als wir oben in unserem Zimmer im Geisterhaus waren.

»Er sagt, ich stinke aus dem Mund.«

»Das stimmt nicht«, erklärte ich ihm.

»Stimmt es wirklich nicht?«

Er schaute mich hoffnungsvoll an.

»Nein, überhaupt nicht«, sagte ich. »Bei einem Streit sagen Leute immer Sachen, die nicht stimmen.«

»Aber er sagt, ich rieche immer und meine Klamotten sind Schrott.«

»Also, darüber würde ich mir keine Sorgen machen, Jake. Es geht doch nicht um Kleidung, oder? Schau dir meine an, die ist auch Schrott, und es geht mir gut.«

Jake musterte mich von oben bis unten, sagte aber nichts.

»Gibt es sonst niemanden, mit dem du dich anfreunden könntest?«, fragte ich.

Da fing er zu weinen an. Eine Flut kleiner Jungentränen ergoss sich aus ihm. Rotzblasen bildeten sich, platzten und formten sich neu. Seine Schultern zitterten. Ich konnte ihn nur halten, bis er sich ausgeweint hatte. Er presste sein heißes Gesicht an meine Brust und es war, als wollte er sich hineinbohren. Ich rieb ihm den Rücken und sagte ihm, alles würde wieder gut werden, aber er hörte nicht zu, er musste sich einfach ausweinen und brauchte Trost. Als er fertig war, fragte ich, ob er seiner Mum davon erzählt hatte.

»Sie ist traurig. Steve kommt nicht mehr vorbei, darum ist sie meistens in ihrem Zimmer.«

»Ihr zwei seid zurzeit ein feines Pärchen, wie?«, sagte ich, und er nickte zustimmend. Offenbar hatte es ihm gutgetan, sich auszuweinen, denn er richtete sich wieder ein wenig auf. Nach der ganzen Aufregung dachte ich, etwas frische Luft könnte ihm guttun, und wir gingen nach draußen in den Garten. Wir rannten eine Weile ausgelassen durch das Gestrüpp, und ich tat so, als wäre ich ein Zombie, der ihn fangen wollte. Als die Zeit zum Nachhausegehen kam, wurde er wieder still.

Wir gingen den normalen Weg zu ihm zurück, aber kurz vor der Fox Street schwenkte er ab und lief zur Hauptstraße.

»Jake?«, sagte ich. Er blieb stehen und drehte sich um.

»Ich muss noch Pommes holen«, sagte er. »Zum Abendessen.«

Na gut. »Dann esst ihr heute Fish and Chips?«

»Nur ich, es ist Samstag, da geht Mum aus. Sie isst nichts, wenn sie ausgeht.«

»Und wer passt auf dich auf, wenn sie weg ist?«

»Niemand, aber das ist in Ordnung, das macht mir nichts. Manchmal muss sie halt ihren Spaß haben.«

Ich dachte unwillkürlich, dass Leute wie Jakes Mum keine Kinder haben dürften. Ich ließ ihn allein zurück und machte mich auf den Heimweg, um einen schweigsamen Samstagabend mit Mum und unseren Büchern zu verbringen. Aber als ich mit meinem Buch dasaß, kam ich nicht zum Lesen. Ich dachte über Jakes Mum nach. Versuchte aus ihr schlau zu werden. Was für eine Frau schickt einen kleinen Jungen weg und sagt ihm, er soll nicht vor fünf zurückkommen? Von Jake wusste ich nur, dass sie sechsundzwanzig war, sie lebten allein, und sie ging abends aus und ließ ihn zurück. Die Vorstellung gefiel mir gar nicht, aber ich wollte auch keine voreiligen Schlüsse ziehen. Man muss Leuten eine Chance geben. Ohne Beweise sollte man nicht urteilen. Da ich mich nicht konzentrieren konnte, fragte ich Mum, ob sie eine Runde Domino spielen möchte, aber sie bedeutete mir, still zu sein, und las ihr Buch weiter. Ich ließ sie in Ruhe und ging früh ins Bett.

Am folgenden Samstag hatte ich die Gelegenheit, Jakes Mum zu sehen. Ich war in der Bibliothek, als Jake hereinkam und ein paar Bücher zurückgab. Er kam zu mir und sagte Hallo, konnte aber nicht lange bleiben, weil er seiner Mutter beim Einkaufen half. Ich ließ ein paar Minuten verstreichen, dann ging ich ebenfalls hinaus und folgte den beiden in die Stadt. Es war offensichtlich, warum Jake nur Haut und Knochen war – seine Mum bestand ebenfalls aus nichts anderem. Man hätte sie für eine dieser dürren ausländischen Turnerinnen halten können. Sie wirkte nicht viel älter als manche Sechstklässlerinnen, und ich fragte mich kurz, ob Jake vielleicht vergessen hatte, eine ältere Schwester zu erwähnen. Ihr dünnes Haar hing strähnig herunter, und sie trug einen grauen Trainingsanzug mit dem Aufdruck »Juicy« quer über dem Rücken. Ich blieb auf Abstand, damit Jake mich nicht sah und nach mir rufen konnte, aber ich brauchte ihnen auch gar nicht allzu dicht zu folgen, denn er hatte mir gesagt, dass sie immer in die Fußgängerzone hinterm Rathaus gingen, wo es viele Billigläden gab.

Noch bevor sie ihr Ziel erreicht hatten, war offensichtlich, wie das Ganze ablief. Jake durfte vorausgehen, unbeaufsichtigt verkehrsreiche Straßen überqueren, zu nahe an der Straße laufen, auf der Autos und Laster vorbeisausten. Sie redete die meiste Zeit in ihr Handy und ignorierte ihn. Ein paarmal fuhr sie ihn an, als er in die falsche Richtung verschwand, aber vorwiegend wurde er in Ruhe gelassen, bis es zum Tütentragen kam. Auf dem Rückweg zur Fox Street schwang Jake eine Tüte etwas zu hoch, und der halbe Inhalt fiel heraus und landete im Rinnstein. Seine Mum drehte sich um. Als sie das Debakel sah, schüttelte sie den Kopf, lief weiter und überließ es ihm, die Sachen aufzuheben. Jake vergewisserte sich, dass er alles hatte, und lief dann hinter seiner Mum her, die mittlerweile schon die halbe Straße rauf war. Ich ging zurück in die Bibliothek, aber ich war zu wütend und konnte mich auf nichts konzentrieren. Ich machte mich auf den Heimweg. Später am Abend, als ich noch eine Weile darüber nachgedacht hatte, wurde mir klar, dass mich ihr Verhalten eigentlich nicht überraschen sollte – die Tatsache, dass er allein von der Schule nach Hause ging, immer allein in der Bibliothek war und jeden Samstagnachmittag sich selbst überlassen blieb, war ein deutlicher Hinweis auf ihre Vorstellung von Kindererziehung. Sie war zu früh Mutter geworden und wusste nicht, was sie tat. Es war nicht schön gewesen, die Szene mit anzusehen, aber ich bedauerte es nicht. Wenigstens wusste ich jetzt, womit ich es zu tun hatte.

12

Mein liebstes Wegtauchen, neben jenem ersten zum Neptun, war das nach Iowa. In Iowa war ich Roland Harry und
führte eine Eisenwarenhandlung. Die Idee stammte aus
einem Film, den wir uns bei Mrs Lyon Dean, unserer Eng-
lischlehrerin, am Ende des Schuljahres ansehen mussten. An
den Titel kann ich mich nicht mehr erinnern, und von der
Geschichte bekam ich wegen des ganzen Gequassels und
Herumalberns nur mit, dass sie von einer wahnsinnig dicken
Frau und ihrer Familie handelte, die in einem alten Holz-
haus am Rand einer Kleinstadt in Amerika lebte. Einer ihrer
Söhne war nicht ganz richtig im Kopf und kletterte gern auf
einen Wasserturm, und sein älterer Bruder musste immer los
und ihn retten, musste immer nach ihm Ausschau halten.
Aber obwohl er sich manchmal über seinen Bruder aufregte,
merkte man doch, wie sehr er ihn mochte. Das gefiel mir,
auch wenn mich weniger die Geschichte des Films als die
Landschaft interessierte: der weite blaue Himmel, die langen
geraden Straßen, die endlosen gelben Felder und die ruhigen, staubigen Ortschaften. All das erinnerte mich an Gebor-
genheit. An einen sicheren Ort, wo man geboren werden,
leben und sterben konnte, ohne jemals Ärger zu bekommen,
wenn man nicht wollte. Wo man abends nach einem ruhigen Tag auf der Veranda sitzt, den Sonnenuntergang beobachtet und sich auf das Gleiche am nächsten und über-
nächsten Tag und für immer freut.

Meine Eisenwarenhandlung lag an der Hauptstraße in
der Stadtmitte. Wir verkauften alles, was man sich vorstellen
kann: Scheuerlappen, Eimer, Hämmer, Nägel, alles. Es war ein
staubiger alter Laden mit langen dunklen Gängen, Holzfuß-
böden und hohen Regalen. Jeder Fleck gefüllt mit Dingen,

die vielleicht jemand haben wollte. Für den unwahrschein-
lichen Fall, dass wir es nicht auf Lager hatten, bestellten wir
es für die Kunden – gehörte alles zum Service. Während der
Woche arbeitete ich dort allein. Meine Frau Lucy kam mittags mit Sandwiches vorbei, die wir plaudernd am Ladentisch aßen, bevor sie wieder nach Hause ging. An den Wochenenden, wenn mehr los war, engagierte ich einen Jungen,
der die Kunden bediente und ihnen ihre Einkäufe zum Wa-
gen brachte, während ich sie beriet und die Regale und den
Lagerraum nach dem Gewünschten durchsuchte.

Anfangs fand ich mein Wegtauchen nach Iowa toll, ich
genoss es. Ich legte mich abends unheimlich gern ins Bett
und beförderte mich in die Mitte Amerikas, zu meinem weißen Haus mit der Veranda, meinem Laden an der Hauptstraße eines verschlafenen Städtchens, abends meine Frau
neben mir, eine warme, durchs Zimmer wehende Brise, ein
schlafender Hund am Fußende des Bettes. Es war perfekt. Es
war ein derart schönes Wegtauchen, so lebhaft, so ruhig, dass
es eines der wenigen war, die auch tagsüber funktionierten.
Wenn ich mit meiner Mum beim Abendbrot saß und wir uns
nichts zu sagen hatten, oder an einem schlechten Tag, wenn
jeder Gedanke zu dem toten kleinen Jungen führte, musste
ich nur an Iowa denken und konnte entkommen, zumindest
für eine Weile. Aber nach einiger Zeit lässt die Faszination
nach, das Wegtauchen nutzt sich ab und irgendwann ist es
leer. Man kann weiterhin versuchen zurückzugehen, man
kann weiterhin versuchen zu entkommen, aber es ist nie
dasselbe. Und irgendwann funktioniert es gar nicht mehr.
Dann ist man plötzlich wieder in der Realität und muss auf
eine neue Eingebung hoffen, muss warten, bis man wieder ein neues Wegtauchen an einen anderen Ort herauf-
beschwören kann.

Wir fingen an, das Haus ein bisschen herzurichten. Das heißt, ich fing an. Nur das obere Zimmer, wo Jakes Ansicht nach Mrs Lorriemore erschossen worden war und wo wir lasen und die meiste Zeit verbrachten. Ich sah mich ein paar Tage lang unterwegs aufmerksam um und hatte kein Problem damit, das eine oder andere Möbelstück mitzunehmen. Als der Musiksaal in der Schule neu eingerichtet und jede Menge Zeug weggeworfen wurde, verhielt ich mich wie eine Elster und griff zu. Dann entdeckte ich vor einem der großen Häuser an der Eastham Street einen Container.

Die Eastham Street liegt ungefähr anderthalb Kilometer nördlich des Steinbruchs und ist die reichste Straße in der Stadt. Vor den Häusern sind Rasenflächen, die mit Traktorrasenmähern gemäht werden müssen, und die Garagen sind so groß wie Bungalows. Alle Kinder aus der Eastham Street tragen die purpurrote Uniform der Greenhurst Private School, und keiner aus meiner Schule kennt dort jemanden, und keiner der Schüler von dort ist jemals in der Stadt unterwegs. Außerdem sieht man nie jemanden aus der Eastham Street in der Eastham Street, sondern nur Leute, die nicht dort wohnen und die Hunde der Bewohner im Wald ausführen und unterwegs die Riesenhäuser angaffen. Ich bemerkte den Container auf einem meiner Streifzüge. Er stand am Ende einer langen Einfahrt und war voll mit Sachen, die nicht so aussahen, als müssten sie weggeworfen werden. Ich stöberte sie durch, entschied, was ich wollte, und ging in der Dunkelheit zurück. Als ich dann da stand und die Sachen nehmen wollte, wurde ich nervös. Ich sagte mir, dass niemand etwas in einen Container packen würde, wenn er es noch brauchte. Das erste Mal kam ich mir trotzdem wie ein

Dieb vor, aber es rannte niemand schreiend aus dem Haus, und durch die lange Einfahrt hätte ich ohnehin fast zwei Minuten Vorsprung gehabt. Sobald ich die Eastham Street verließ, flitzte ich einen Pfad hinunter, der durch Moorland Wood führt und irgendwann am Steinbruch endet. Die Chance, auf dem Weg zum Geisterhaus jemandem zu begegnen, war ziemlich gering, und auch wenn jemand einen übergroßen Teenager mit einem Leuchter auf der Schulter im Wald gesehen hätte, wäre er vermutlich schweigend weitergegangen, aus Angst, mit dem Ding eins übergezogen zu kriegen.

Bei Jakes nächstem Besuch standen in unserem Zimmer alte Schulstühle, ein weißer Gartentisch aus Plastik und ein kleiner Nachttisch, in dem wir Sachen verstauen konnten. Natürlich gab es keinen Strom, aber die Lampe passte irgendwie, das Zimmer sah gut aus. Jake fand es ebenfalls schön, und an diesem ersten Nachmittag musste ich ihn richtig überreden, von dort weg und nach Hause zu seiner Mutter zu gehen. Das war allerdings auch schon passiert, bevor ich das Zimmer aufgehübscht hatte. In den letzten Wochen war er am Anfang unserer Treffen immer mürrisch gewesen, später am Nachmittag taute er dann etwas auf, und wenn es Zeit war, nach Hause zu gehen, wurde er wieder still. Ich dachte, es läge vielleicht an seiner Mum, dazu hätte er immerhin allen Grund gehabt, oder an der Schule, aber auf meine Nachfrage hin schüttelte er beide Male den Kopf. Dann dachte ich, dass ihn unsere Samstagnachmittage vielleicht langweilten und er lieber anderswo wäre, aber als ich das Thema anschnitt, schüttelte er wieder den Kopf und ich war froh, dass ich nicht der Grund für seine Verstimmung war. Trotzdem war klar, dass etwas nicht stimmte, und ich wollte ihm helfen, aber sobald ich ihn zum Sprechen bewegen wollte, verfiel er in Schweigen und sagte kein Wort; je neugieriger ich war, umso wortkarger wurde er. Ich drängte ihn allerdings auch nicht sehr, sondern versuchte vielmehr, ihn aufzumuntern und den glücklichen Jungen hervorzulocken, den ich aus den ersten Wochen kannte. Ich bemühte mich, jeden Samstag besonders zu gestalten. Während der Woche machte ich mir Gedanken und überlegte mir Sachen, die ihm ein Lächeln entlocken könnten. Ich legte mir den Nachmittag im Kopf zurecht wie ein Wegtauchen. Und es war tatsächlich wie ein Wegtauchen, nur dass mich jetzt, da ich Jake und das Haus hatte, ein richtiges Ziel erwartete und nicht etwas Ausgedachtes. Ich kaufte Donuts und Süßigkeiten, manchmal ein Stück Kuchen. Einmal brachte ich sogar einen Fußball mit. Ich dachte mir, wenn er ein bisschen trainierte, könnte er die Jungs in der Schule überraschen und wieder mit Harry spielen. Aber es war, als führte der Einäugige den Blinden – wir konnten uns den Ball kaum zuspielen. Es machte ihm genauso wenig Spaß wie mir, deshalb warf ich den Ball ins Gestrüpp und wir gingen wieder ins Haus und lasen stattdessen eine Horrorgeschichte. Aber auch das verfehlte in letzter Zeit seine Wirkung. Ich steckte fest und hatte niemanden, den ich um Rat fragen konnte. Warum ist ein achtjähriger Junge mürrisch? Auf diese Frage brauchte ich eine Antwort. Aber Mum konnte ich ebenso wenig fragen wie eine Mitarbeiterin in der Bibliothek. Ich musste allein dahinterkommen. Mir blieb nichts anderes übrig, als ihn so genau wie möglich zu beobachten und auf Hinweise zu achten.

14

Vielleicht wäre es hilfreich gewesen, wenn ich öfter mit den Problemen und Sorgen anderer Leute in Berührung gekommen wäre, aber ich kannte nur Mums Stimmungen, die ich mir nie erklären konnte. Ich hatte keine problembeladenen Freunde, im Grunde hatte ich ohnehin kaum Freunde. Im Laufe der Jahre ist mir klar geworden, dass mein Gesicht etwas Anonymes hat. Oder vielleicht war mein ständiges Wegtauchen so erfolgreich, dass ich mich tatsächlich langsam auslöschte. Manchmal kam es mir jedenfalls so vor. Mum sagt, ich wirke auf andere nicht anziehend. Ich sei ein Pfeil, der von der Scheibe abprallt, ein Magnet, der nicht funktioniert. Sie sagt, diese Eigenschaft hätte ich von ihr geerbt, was ich als ungerecht empfinde. Sie ist nämlich sehr gern allein, mich dagegen macht es wahnsinnig. Manchmal möchte ich mehr als Bücher und Wegtauchen und schlechte Erinnerungen. Manchmal möchte ich Stimmen und Lärm und Spaß, um alles andere zu übertönen. Aber so war es nie. Ich war einsam. Natürlich. Ich hatte Fiona, seit wir nach Raithswaite gezogen waren, und das war ein Glück, aber wir sehen uns oft tagelang nicht. Und wenn wir uns dann treffen, schlendern wir nur durch den Steinbruch und hören uns einen Song über ihre Kopfhörer an, ohne zu reden; in der Schule sehen wir uns kaum. Ich weiß, dass sie mich für komisch hält, wie alle anderen auch, aber es scheint sie nicht zu stören. Wahrscheinlich liegt es daran, dass sie auch nicht hineinpasst. Sie ist zu klug für ihren Dad und ihre blöden Brüder, mit denen sie kaum redet. Und obwohl alle in der Schule mit ihr befreundet sein wollen, weil sie so schön ist, interessiert sie das nicht. Sie spielt mit, das merke ich, aber sie wartet nur auf die erste Gelegenheit, um aus Raithswaite abzuhauen. Sie wartet auf den richtigen Augenblick, auf den Startschuss, und wenn sie erst mal weg ist, sieht vermutlich keiner sie je wieder.

Andere Freunde waren dünn gesät. Ich war ein Jahr auf der St. Edmund's Primary School, als wir nach Raithswaite zogen, danach wechselte ich auf die Highschool. Ich erinnere mich kaum noch an die St. Edmund's, außer dass sie am anderen Ende der Stadt lag und die einzige Schule mit freien Plätzen war. Die Schüler und Lehrer waren sehr nett zu mir, aber da sich alle schon seit Jahren kannten und ich nur die letzten paar Monate dort war und außerdem als still und langweilig galt, entstanden keine wirklichen Freundschaften.

Mein erstes Jahr an der Highschool in Raithswaite fing trotzdem ganz gut an, was vielleicht daran lag, dass alle neu waren und sich mehr bemühten. Eine Zeitlang waren wir zu dritt und mehrere Monate lang fast eine Gang. Ich, Lewis Johnson und Nathan Pierce. Lewis las viel, genau wie ich, ich sah ihn mittags immer in der Bibliothek. Wir waren derselbe Jahrgang und die einzigen Jungen unseres Alters, die ständig in der Bibliothek waren. Mit der Zeit wurden wir Freunde. Das Schuljahr lief schon ein paar Monate, als Nathan in Raithswaite auftauchte, an seinem ersten Tag in die Bibliothek ging und uns traf. Wir verstanden uns auf Anhieb und machten alles gemeinsam. Während der Mittagspause gingen wir oft raus und schauten uns an, was die Schule sonst noch zu bieten hatte. Am Anfang funktionierte das gut, aber mit der Zeit kam ich mir wie ein Ersatzteil vor, wie das schwache Glied. Lewis und Nathan lebten in derselben Siedlung, während ich am anderen Ende der Stadt wohnte. Sie verbrachten Wochenenden und Feiertage zusammen, aßen beim anderen zu Abend und übernachteten dort. Sie tauschten Spiele und Musik aus, und manchmal hatte ich keine Ahnung, wovon sie redeten. Wenn ich ehrlich bin, fühlte ich mich nie ganz wohl, wenn ich mit den beiden zusammen war. Sie verstanden sich bestens, hatten denselben Sinn für Humor und lachten immer an den richtigen Stellen, während ich manchmal schwer von Begriff war, weil ich mich gerade von einem Wegtauchen erholte. Und an schlechten Tagen, wenn ich an den kleinen Jungen dachte, war ich ohnehin eine ziemliche Spaßbremse und hatte nicht viel beizutragen. Aber das war nicht alles. Sie trugen immer nagelneue Kleidung und besaßen nur teure Sachen – mit kleinen Namen oder Logos auf der linken Brustseite, nichts Protziges, aber ein Zeichen, dass es teuer war und dass es, im Gegensatz zu uns, bei ihnen zu Hause nicht an Geld mangelte. Der Großteil meiner Kleidung kam von jeher vom Markt oder aus den Läden in der Fußgängerzone. Ich will mich nicht beklagen, denn billige Sachen haben mich nie gestört, aber wenn Mum sagt, es gäbe keinen Unterschied zwischen den Kleidern, die ich trage und denen aus guten Geschäften, hat sie einfach unrecht. Kleider vom Markt erkennt man auf hundert Meter Entfernung.

Ich war nur einmal bei ihnen. Es war alles geplant. Ein großer Samstag. Wir aßen mittags bei Lewis und abends bei Nathan. Sie wohnten in neuen Einfamilienhäusern an den entgegengesetzten Enden derselben Siedlung. Von außen waren die Häuser kaum zu unterscheiden, und sogar innen rochen sie gleich. Ich hatte noch nie zuvor so viele neue Dinge in einer Wohnung gesehen und war auch noch nie in einem Haus gewesen, in dem alles zusammenpasste und am richtigen Platz stand. Ihre Zimmer waren genauso, alles neu und dort, wo es hingehörte. Sie erzählten, dass sie ihre Möbel und Wandfarben selbst aussuchten. Ich weiß noch, dass ich in Nathans Zimmer ein Bücherregal entdeckte, in dem alle Buchrücken sauber und ungeknickt in den Raum zeigten. Ich holte ein paar heraus, schlug sie auf und entdeckte nirgendwo eine Bibliotheksnummer. In beiden Häusern musste man die Schuhe ausziehen und neben der Tür stehen lassen. Ich hatte das nicht gewusst, und in meinen Socken waren vorne Löcher, die zwar keiner kommentierte, aber ich schämte mich trotzdem. Sogar ihre Mütter gaben mir das Gefühl, fehl am Platz zu sein. Sie waren klug und freundlich, kamen mit Taschen voller teurer Einkäufe zurück und verteilten Geschenke wie an Weihnachten.

Am peinlichsten war es, als wir bei Nathan zu Abend aßen. Seine Eltern saßen mit uns am Tisch, es gab Spaghetti Bolognese. Sie tranken beide ein Glas Wein und wir jeweils ein großes Glas Cola, mit Eis und Zitrone, wie im Restaurant. Ich hatte noch nie zuvor Spaghetti gegessen, Mum kochte so was nicht. Es schmeckte gut, aber irgendwie kam ich mit den langen Dingern nicht zurecht. Die anderen zwirbelten sie perfekt um ihre Gabeln, aber ich hatte den Dreh nicht raus. Als Nathans Dad sah, wie ich mich abmühte, sagte er: »Gar nicht so einfach, oder, Donald? Mach es wie ich und schneide die glitschigen Dinger einfach durch.« Er fing an, seine Spaghetti klein zu schneiden, eine wirklich nette Geste von ihm, aber dass ich nicht mal so essen konnte wie sie, gab mir ein noch blöderes Gefühl. Als ich nach dem Essen auf den dicken Teppich trat, wollte ich nur noch versinken und versinken, bis ich verschwunden war. Den ganzen Tag kam ich mir vor wie ein Schauspieler auf der Bühne, ein Schauspieler, der nicht wusste, in welchem Stück er mitspielte, geschweige denn seinen Text kannte. Es war eine Erleichterung, als Nathans Vater mich endlich nach Hause fuhr.

Von da an sahen Nathan, Lewis und ich uns nicht mehr

so häufig. Ich verbrachte wieder mehr Zeit in der Bibliothek, und sie besuchten mich dort immer seltener. Wir trafen die friedliche, unausgesprochene Übereinkunft, dass die Zeit unserer Gang vorbei war. Seitdem gab es eigentlich nur noch Fiona. Wenn ich auf die letzten vier, fünf Jahre zurückblicke, kommt es mir vor, als hätte ich in einem stillen Haus mit meiner stillen Mutter gesessen und versucht, nicht an den Vorfall in Clifton zu denken und an Orte zu fliehen, die ich im Kopf erfunden habe. Es war gut, dass ich Jake hatte.

15

Mum hat sich im Laufe der Jahre in ihr Schweigen eingeigelt und durchbricht es nur noch, wenn die Stille einen Punkt erreicht, an dem sie rausmuss. Die Ruhe ballt sich in ihr zusammen und explodiert dann unaufhaltsam in Form von Geschrei und Wutanfällen. Auslöser kann alles Mögliche sein – eine Rechnung, die höher ausfällt als gedacht, ein Teller, der vom Abtropfbrett fällt und zerbricht. Es beginnt mit einer Banalität, aber die Explosion entsteht durch einen Funken von mir: ein abgerissenes Abzeichen auf meinem Schulblazer, eine nicht abgewaschene Tasse oder die Tasse ist abgewaschen, aber das Geschirrhandtuch liegt an der falschen Stelle. Sie stürzt sich sofort auf mein Vergehen, und ich kann nur noch zurücktreten und warten, bis sie sich ausgetobt hat. Jedes Gegenwort verlängert nur den Ausbruch, jede Widerrede dient als Zündstoff und wird gegen mich verwendet. Man kann wirklich nur zurücktreten und warten. Nach dem Anfall geht sie in ihr Zimmer, und ich sehe sie erst am nächsten Tag wieder. Sie ist dann still und traurig und sieht mich an, als hätte ich Geld aus ihrem Portemonnaie gestohlen.

Das war nicht immer so. In Clifton sang sie oft mit, wenn das Radio lief, und es lief bisweilen ziemlich laut. Jetzt kommt nur noch leises Gemurmel – muffelige Männer, die den ganzen Tag lang über Nachrichten, Politik und Wirtschaft diskutieren. Oder sie stellt einen Klassiksender mit schwermütiger Geigenmusik ein und dreht die Lautstärke so weit herunter, bis es sich anhört wie eine Gruppe alter Männer, die traurig in ihre Bärte wispern. Wahrscheinlich hält sie alles so leise, damit sie hört, wenn neuer Ärger auf sie zukommt. Damit sie diesmal weiß, was ich angestellt habe, bevor die Polizei an die Tür klopft.

Am Donnerstagabend schreibt sie immer in ihr Notizbuch. Das sind die stillsten unserer stillen Abende. Sie brüht sich eine Kanne Tee auf, schlägt eine frische weiße Seite auf und drückt den Stift aufs Papier. In die linke obere Ecke schreibt sie das Datum, füllt dann vier Seiten mit eng geschriebenem Text und hält kaum inne, um nachzudenken. Ich darf ihre Ergüsse nicht lesen, und ich habe keine Ahnung, wo sie das Tagebuch versteckt. Ich wüsste zu gern, was sie da alles zusammenschreibt, denn ich kann mir nicht vorstellen, was sie jede Woche zu sagen hat. Mum ist unglücklich, das weiß ich, aber man braucht keine Stunde, um zu schreiben: *Ich bin traurig. Ich hasse Raithswaite. Donald hat mein Leben ruiniert.* Das Einzige, was den Schreibfluss unterbrechen kann, ist Lärm. An ihrem Schreibabend tickt die Uhr zu laut. An ihrem Schreibabend blättern die Leute auf der anderen Seite von Denple Hill die Seiten in ihren Büchern zu laut um. Einmal warf sie mir vor, ich würde zu laut atmen. Am Donnerstagabend bleibe ich meistens in meinem Zimmer und versuche, sie nicht zu provozieren.

An einem Donnerstagabend sah ich Fionas Hinterkopf zwischen den Bäumen und Büschen unten im Steinbruch. Ich war froh um die Ausrede, das Haus verlassen zu können, und war wenige Minuten später bei ihr. Sie nahm ihre Ohrstöpsel raus, als sie mich sah, und wir liefen im Gleichschritt weiter. Wir plauderten über die Schule, dann entstand eine Pause, und ich wollte sie gerade fragen, wie es ihrem Bruder im Gefängnis ging, aber sie war um den Bruchteil einer Sekunde schneller.

»Ich hab dich gesehen, Donald. Dich und den kleinen Jungen. Ich hab euch jetzt schon ein paarmal in das Haus gehen sehen.«

Schuldgefühle kitzelten meine Kopfhaut und fuhren mir

bis in die Fingerspitzen, ohne dass ich einen Grund dafür wusste. Ich nickte, als stimmte ich ihrer Feststellung zu, aber ich wusste nicht, was ich sagen sollte.

»Wer ist das, Donald?«, fragte sie.

Beim zweiten »d« von »Donald« löste sich eine Handbremse, und wie aus dem Nichts kam eine derart überzeugende Lüge aus meinem Mund, dass selbst ich sie glaubte, noch während ich sie mir ausdachte. Jake Dodd war ein Junge, den ich durch die Leseclubs der Bibliothek in Raithswaite kennengelernt hatte. Es gab zwei Gruppen. Jedes Mitglied der Jugendlichengruppe, der ich angehörte, war als Mentor einem jüngeren Leser zugeteilt worden. Wir sollten sie zur Lektüre von Büchern ermuntern, die sie normalerweise nicht lesen würden. Mein Schützling war Jake, und nachdem ich mich mit ihm und seiner Mum angefreundet hatte, bat sie mich manchmal, auf ihn aufzupassen, wenn sie etwas erledigen musste. Meine Erklärung war so überzeugend und langweilig, dass mir klar war, Fiona würde sie ohne weiteres glauben. Als ich fertig war, meinte sie, ich hätte eine Medaille verdient. Wir gingen weiter durch den Steinbruch, und sie erzählte mir von dem Besuch bei ihrem Bruder im Gefängnis.

»Es hat gestunken. Die vielen jungen Männer in ihren orangefarbenen Pullovern haben niemanden, für den sie sich sauber halten könnten. Ich hab versucht, möglichst nichts anzufassen, aber zu Hause wollte ich trotzdem sofort duschen.«

»Ich wette, dein Anblick hat sie erfreut«, sagte ich, ohne nachzudenken. Mich beschäftigte immer noch die Frage wegen Jake. Aber Fiona blieb plötzlich stehen und meinte: »Ein paar haben nicht mal versucht, es zu verbergen. Sie haben einfach gestarrt. Und als ich zurückstarrte, haben sie nicht mal geblinzelt. Ein Typ hat mich reinkommen sehen und mich auf dem ganzen Weg durchs Zimmer bis zu meinem Bruder beobachtet. Er hat mich nicht aus den Augen gelassen. Ich mag es grundsätzlich nicht, wenn man mich anstarrt, aber das war schrecklich. Das Schlimme ist, dass man nicht weiß, weshalb sie im Knast sind. Man weiß nicht, was sie angestellt haben.«

Sie schauderte im Gehen und hakte sich bei mir unter. Es war das erste Mal, dass wir uns richtig berührten, ich kam mir sehr erwachsen vor. Natürlich hatte es nichts zu bedeuten, aber es war schön. Als ich abends im Bett lag, überlegte ich, ob ich Jake vielleicht nicht wie gewohnt am Samstag treffen sollte. Ob ich mich vielleicht besser von seiner Schule fernhalten sollte. Sollten die Kleinen eine Zeitlang allein spielen, es würde schon nichts passieren. Jake würde es auch ohne meine Aufsicht gutgehen. Stattdessen würde ich ein Wegtauchen planen. Ich würde in die Bibliothek gehen, mir den *Times Atlas* vornehmen und mir ein geeignetes Ziel suchen.

Doch am Samstagmittag saß ich wieder auf der Bank am Spielplatz und wartete auf ihn. Ich konnte ihn nicht einfach so fallenlassen. Der Gedanke, er könnte auftauchen und müsste den Nachmittag allein durchstehen, machte mich traurig. Und es war gut, dass ich da war. Er kam auf den Spielplatz, hielt Ausschau nach mir und ich sah sie sofort – eine leuchtende Beule über dem rechten Auge, groß wie ein Adamsapfel und violett wie eine Pflaume. Wir gingen nicht wie üblich zu unserem Haus; er wirkte zu müde, um zu laufen, darum blieben wir auf der Bank am Spielplatz. Er sagte, es sei Harry gewesen. Er habe ihn bei einem Streit geschlagen, also hatte Jake zurückgeschlagen, und dann waren sie aufeinander losgegangen und hatten am Ende beide Ärger bekommen. »Worüber habt ihr euch denn gestritten?«, fragte ich. Jake wusste es nicht mehr. Sie hatten einfach gestritten. Er gähnte ausgiebig, die dunklen Stellen unter seinen Augen waren keine blauen Flecken.

»Bist du müde, Jake?«

»Ja, ich schlaf nicht so gut, wenn Mum ausgeht.«

»Du bist nicht gern allein?«

»Tagsüber macht es mir nichts aus, aber nachts schon, wenn sie nicht zurückkommt.«

»Sie bleibt die ganze Nacht weg?«

»Manchmal. Das ist in Ordnung. Wir haben darüber geredet. Sie hat ihr Handy immer dabei.«

Sie hat ihr Handy immer dabei. Mir fehlten die Worte.

»Seit wann bleibt sie die ganze Nacht weg, Jake?«

»Seit Steve nicht mehr kommt. Danach fing es an. Zuerst ist sie die ganze Zeit in ihrem Zimmer geblieben, aber dann ging sie wieder aus. Meistens am Freitag und am Samstag. Manchmal auch am Donnerstag.«

Ich war wütend, hielt aber klugerweise den Mund. Als ich mich einigermaßen beruhigt hatte, fragte ich Jake, ob sie heute Abend wieder weggehen würde.

»Am Samstag geht sie immer ins Social«, sagte Jake.

»Das Social in der Wellgate?«

Er nickte.

An diesem Nachmittag blieben wir nicht lange zusammen. Ich schickte Jake früh nach Hause und sagte ihm, er solle sich ausruhen. Er solle versuchen, jetzt zu schlafen, wenn er es später nicht konnte.

16

Das Social in der Wellgate liegt unauffällig zwischen einem Schuhgeschäft und einem Blumenladen. Es hat eine schmale, braun gekachelte Fassade und einen dunklen Korridor, der ins Ungewisse führt. Bei Mum genießen Pubs keinen guten Ruf, und ich kann mich nicht erinnern, dass wir jemals in einem gewesen wären. In letzter Zeit haben einige Pubs in der Stadt dichtgemacht, sie haben graue Gitter vor den Fenstern, aber die im Zentrum sind noch offen und einsatzbereit.

Ich postierte mich etwas abseits, hoch oben auf den Steinstufen von Parrot's Dentists, wo ich alle Kneipen im Blick hatte: Oben das Red Lion und den Wagon, gegenüber das Social und unten das Dog, das Castle und Romeros Schnellimbiss. Ich hatte ein Buch mitgebracht, weil ich wusste, es würde eine lange Nacht werden, aber ich saß erst ungefähr zwanzig Minuten da, als die Trinker allmählich auftauchten und die Straße voller wurde. Ich musste mein Buch beiseitelegen. Allem Anschein nach funktionierte das Trinken in Raithswaite wie eine Einbahnstraße, denn alle bewegten sich in eine Richtung. Die allgemeine Reihenfolge war Red Lion, Wagon, Dog und dann das Castle. Ich beobachtete, wie die Leute in Horden von Pub zu Pub zogen und sich plaudernd gegenseitig weiterschoben. Dann gab es die Raucher, die ein und aus gingen, sich Feuer borgten und ins Gespräch kamen, kleine Gruppen, die miteinander verschmolzen und sich langsam auflösten, bevor sie wieder anwuchsen. Ich musste genau hinsehen, um Jakes Mum nicht zu verpassen, aber ich fühlte mich wohl und es machte Spaß, das ganze Hin und Her im Stadtzentrum an einem Samstagabend zu verfolgen. Ich saugte es in mich auf. Das also machten Leute am Wochenende. Sie saßen nicht mit ausgeliehenen Büchern zu Hause und hörten so leise Klassikradio, dass man hätte meinen können, ein Orchester spiele auf der anderen Seite des Hügels in einer Höhle. Sie saßen nicht da und schauten böse auf die geschlossenen Vorhänge, wenn sich die Leute auf der Straße mit lauten Stimmen etwas zuriefen. Sie *waren* die lauten Stimmen auf der Straße. Für mich sah das alles nach großem Spaß aus. Manche Frauen waren atemberaubend in ihren schimmernden Kleidern und Highheels, mit ihren vollen Haaren, glatt und glänzend, fast schon funkelnd. Ihr Selbstvertrauen war unübersehbar, wenn sie mit ihren spitzen bunten Schuhen zielstrebig vorwärtseilten. Es war schön, dort oben zu sitzen und das Nachtleben um mich herum zu spüren.

Ich saß ungefähr eine Stunde auf den Stufen, als ich Jakes Mum die Straße entlangkommen sah. Sie war allein, und im Gegensatz zu den meisten Leuten ließ sie die ersten beiden Pubs links liegen und ging direkt zum Social. Sie trug ein Kleid und hohe Schuhe, hatte Rouge auf den Wangen und rote Lippen, nur fehlte ihr die Eleganz und das Glitzernde der anderen Frauen. Sie trug zwar die Uniform, aber bei ihr wirkte sie nicht so, wie sie eigentlich sollte. Sie war zu mager, hatte kaum Fleisch auf den Knochen, und das ließ sie verhärmt und gemein aussehen. Ihr fehlte das Lustvolle der anderen Frauen, die lachten, einander unterhakten und ungeniert Männer anmachten. Diese Frauen schienen sich königlich zu amüsieren, wie an einem Samstagabend in Hollywood und nicht in Raithswaite.

Jakes Mum ging mit kleinen festen Schritten durch die Stadt. Sie hielt die Handtasche an die Brust gepresst, ihr Blick war auf den Gehsteig gerichtet, und sie sah nur hoch, wenn sie musste. Und obwohl ich normalerweise mit den Underdogs der Welt sympathisiere, mit den Leuten in billigen Klamotten, konnte ich es in ihrem Fall nicht. Ich dachte nur an Jake zu Hause, der, mit Pommes im Bauch, wahrscheinlich schon im Bett lag, unter der Decke, und an Geister und Ghule und die Schrecken der Nacht dachte.

Ich behielt die Tür zum Social im Auge, die kommenden und gehenden Gäste, aber Jakes Mum war nicht darunter. Um halb elf drängten die Leute in einem steten Strom aus dem schmalen Eingang, hielten Ausschau nach Taxis, schlenderten die Straße entlang oder gingen noch auf einen Sprung ins Romeros. Die Stadt schloss ihre Läden, und ich hatte keine Ahnung, wo sie blieb. Erst als die Straße wieder viel ruhiger war und im Romeros nur noch die letzten Gäste saßen und ich schon dachte, ich hätte sie bestimmt verpasst, sah ich sie wieder. Sie kam mit einem riesigen Mann aus dem Social, einem Mann mit Pferdeschwanz und schwarzem Hemd. Er drehte sich um, zog ein Gitter vor den Eingang und schloss das Vorhängeschloss ab. Zusammen gingen sie die Wellgate entlang, in Richtung Bibliothek und zum Platz. Ich folgte ihnen. Sie schmiegte sich an ihn, er ließ seinen massigen Arm auf ihre Schulter sinken, und ich dachte, er müsse schwer sein wie ein nasses Tau. Sie hatten es nicht eilig, irgendwohin zu kommen, und gingen langsam, während sie mit großen Augen und lächelndem Mund zu ihm aufblickte, als wäre er ein imposantes Feuerwerk. Ich folgte ihnen den ganzen Weg auf die falsche Seite der Stadt und zu einem Haus in der Faraday-Siedlung. Ich dachte an Jake, allein im dunklen kleinen Haus in der Fox Street. Ich wartete zwanzig Minuten lang auf der anderen Straßenseite, und als schließlich andere Leute mit Dosen und Flaschen auftauchten und Musik aus dem Haus drang, wusste ich, dass in nächster Zeit niemand gehen würde.

Ich wollte ihm keine Angst machen, aber mir fiel nichts

anderes ein, als mit Steinen gegen sein Fenster zu werfen. Ich nahm nur kleine, aber er sah trotzdem erschrocken aus, als er den Vorhang zurückzog und in den Garten spähte. Ich ließ die restlichen Steine fallen und bedeutete ihm, nach unten zu kommen. Eine Minute später öffnete er die Hintertür weit genug, dass ich mich durchzwängen konnte. Er verströmte eine wohlige Schlafeswärme und wirkte tapsig – ich hatte ihn eindeutig geweckt. Ich folgte ihm ins Wohnzimmer, wo wir uns setzten. Er tastete nach dem Lichtschalter, aber ich sagte ihm, er solle es lieber lassen. Er sah mich verständnislos an, und ich ahnte, dass er vielleicht alles für einen Traum hielt. »Ich bin durch die Stadt gelaufen«, sagte ich, »und hab deine Mutter aus der anderen Richtung kommen sehen. Und die Vorstellung, dass du ganz allein bist, hat mir gar nicht gefallen, darum wollte ich einfach mal vorbeischauen und sehen, ob alles in Ordnung ist.«

»Du hast meine Mum gesehen?«

»Ja, sie war in der Stadt unterwegs. Ich glaube nicht, dass sie in der nächsten Zeit zurückkommt.«

»Ist es immer noch Nacht?«, fragte er, und ich war wütend auf mich, weil ich genauso rücksichtslos war wie seine Mum.

»Es ist nach zwölf«, sagte ich, »mitten in der Nacht. Und die Vorstellung, dass du hier ganz allein bist, hat mir nicht gefallen. Ich dachte, du hättest vielleicht Angst.«

»Ich bin nicht gern allein«, sagte er.

»Hör zu, Jake, du darfst deiner Mum auf keinen Fall erzählen, dass ich hier war. Ich glaube, sie hat dich nicht gern allein gelassen, und wenn wir ihr sagen, dass ich kommen und nach dir sehen musste, machen wir es nur noch schlimmer. Wir wollen sie doch nicht verärgern, oder?«

Er schüttelte den Kopf, und mir fiel nichts mehr ein, was ich noch sagen konnte. Wir saßen eine Weile schweigend auf der Couch. Ich kam mir vor wie bei einer peinlichen Verabredung in einem Film und bedauerte, dass ich gekommen war.

Schließlich fragte er: »Wollen wir zum Geisterhaus?«

Ich war dumm gewesen. Ich hätte nicht einfach auftauchen dürfen. Ich hätte ihm vorher Bescheid sagen müssen. Ich hatte ihn aufheitern wollen, nicht beunruhigen. Ich sagte ihm, es sei viel zu spät für das Geisterhaus.

»Du solltest wieder ins Bett gehen«, sagte ich.

Ich zog ihn hoch, und wir gingen durch den Flur zur Treppe. Während er langsam vorwärtsschlurfte, sah ich mich genau um. Das Haus wirkte ziemlich sauber, soweit ich es in der Dunkelheit beurteilen konnte, das musste ich ihr zugutehalten. Allerdings waren nirgendwo Bilder oder Pflanzen, es gab nichts, was die Wohnung gemütlich machte. Oben war es heller, weil das Licht auf dem Treppenabsatz und in Jakes Zimmer eingeschaltet war. Sein Zimmer war unordentlicher als der Rest des Hauses, aber so waren kleine Jungen nun mal, das konnte man ihr nicht vorwerfen. Er kletterte ins Bett. Ich setzte mich auf den Rand der Matratze und sah mich um. Nicht viel wies darauf hin, dass es sich um das Zimmer eines Jungen handelte. Wären nicht überall Kleider verstreut gewesen, hätte man es gar nicht festmachen können, denn es gab weder Spielsachen noch Bücher.

Die Zeichnungen entdeckte ich erst, als er sich unter die Decke gekuschelt hatte. Sie hingen über dem Bett, und mir schlug das Herz bis zum Hals, als ich das Motiv auf einem sah. Den Ehrenplatz in der Mitte nahm ein Bild von mir und Jake in unserem Zimmer im Geisterhaus ein. Ein großes weißes Gespenst flog über uns. Ich zeigte auf das Bild und fragte: »Ist das einer von uns?« Jake drehte sich um, schaute, nickte und sagte: »Im Geisterhaus.« Ich war verunsichert. Ich freute mich, dass er oft genug daran gedacht hatte, um ein Bild daraus zu machen, aber es in voller Größe an seiner Wand zu sehen, verlieh mir auch ein ungutes Gefühl. »Das ist wirklich brillant, Jake«, sagte ich. »Du bist ein richtiges Talent.« Er rollte sich im Bett zusammen, schlang die Arme um sich und sagte: »Danke.«

»Darf ich es mir ein paar Tage ausleihen, damit ich eine Kopie machen kann?«

»Du kannst es haben. Bleibst du hier?«

»Soll ich bleiben, bis du eingeschlafen bist?«

Er nickte, steckte seinen Daumen in den Mund und war innerhalb von Sekunden mucksmäuschenstill. Ich hatte nicht gewusst, dass er Daumenlutscher war. Ich blieb bei ihm sitzen, bis er schlief, deckte ihn noch etwas besser zu und nahm die Zeichnung von der Wand. Die anderen Bilder ordnete ich neu, damit zwischen ihnen keine Lücke klaffte, dann warf ich noch einen letzten Blick auf Jake und ging aus dem Zimmer. Ich ließ das Licht im Flur an und ging die Treppe hinunter ins dunkle Erdgeschoss, durch die Küche und schlüpfte durch die Hintertür nach draußen. Inzwischen war ich müde, aber nicht so müde, dass ich nicht noch mal nachsehen wollte. Auf dem Heimweg ging ich an dem Haus in der Faraday-Siedlung vorbei. Es lief immer noch Musik, ich hörte laute Stimmen. Ein Mann und eine Frau kamen heraus und stahlen sich händchenhaltend und kichernd auf die Rückseite des Hauses. Ich überließ die beiden sich selbst und schleppte mich nach Hause. Es war schon zwei Uhr morgens, als ich ankam, und mir war klar, wenn Mum mich erwischen würde, wäre ich fällig, aber mir war auch klar, dass es eigentlich egal war.

Es lohnt sich, für etwas Ärger auf sich zu nehmen, an das man glaubt.

17

Ich war schon mal in einer Situation, in der ich mehr Mut hätte beweisen sollen. Die Sache erschüttert mich bis heute und hinterher beschloss ich, dass ich in Zukunft versuchen würde, das Richtige zu tun, ganz gleich, wie viel Ärger es mir einbringen würde. Ich habe Tiere immer geliebt, durfte aber nie welche haben. Mum sagte immer, Tiere seien schmutzig.

»Katzen aber nicht«, sagte ich, »Katzen sind sauber.«

»Nur weil ein Tier den Drang verspürt, seinen Dreck zu vergraben, heißt das noch lange nicht, dass es sauber ist, Donald«, sagte sie. »Überleg dir mal, wo sie überall rumstreunen, womit sie in Berührung kommen, und dann stell dir vor, wie sie auf ihren schmutzigen Pfoten im Haus herumlaufen. Und wenn du nicht da bist, springen sie auf Arbeitsflächen und schlafen auf deinen Kissen. Katzen sind hinterlistige Kreaturen.«

Einem Haustier am nächsten kam für mich Mr Moles Hund, Scruffy, mit dem ich manchmal Gassi ging, aber selbst Scruffy durfte nicht zu uns, deshalb wusste ich, ein eigenes Haustier war ziemlich unwahrscheinlich. Als ich eines Tages aber ein Kätzchen fand, dachte ich ein paar dumme Sekunden lang, wenn ich es mit nach Hause nehmen und Mum es sehen würde, ließe sie sich vielleicht erweichen. Natürlich würde sie im ersten Moment zetern und mich zwingen, es auf der Stelle aus dem Haus zu schaffen, aber das Ganze war noch vor dem Vorfall und der Zeit, als jegliche Hoffnung in unserer Welt erloschen war. Vielleicht, dachte ich, würde sie beim Anblick des Kätzchens dahinschmelzen. Aber ich kam nicht dazu, das Kätzchen mit nach Hause zu nehmen. Ich war nicht allein, als ich es fand. Reece Aighton war bei mir.

Es war ein heißer Tag. Ich fuhr mit dem Fahrrad auf dem Brachland hinter den Häusern herum und fragte mich, was ich mit dem Rest des Nachmittags anfangen sollte. Da tauchte Reece auf. Er lebte in den neuen Häusern, die sie oben an der Hawthorne Road gebaut hatten, und war eine Klasse über mir. In der Schule redete er nie mit mir, aber am Wochenende oder in den Ferien liefen wir uns manchmal über den Weg und alberten eine Weile herum, bis irgendwann der Punkt kam, an dem er gemein wurde und ich mich verzog.

Er war reich. Sein Dad fuhr einen kleinen silberfarbenen Sportwagen, und im Sommer rasten sie mit offenem Verdeck die Straße entlang, beide mit Sonnenbrillen und beide geradeaus blickend, als gehörte ihnen jedes Haus auf dem Berg. Reece hatte immer Geld in der Tasche, und an dem betreffenden Nachmittag war ein Eisauto unterwegs, bei dem er sich ein Ninety Nine und ein Getränk kaufte. Wir legten unsere Räder hin und setzten uns an eine Garage, damit er sein Eis essen und sein Getränk trinken konnte. Wir warfen Steine auf eine Dose, die an einer der gegenüberliegenden Garagen stand. Reece war wütend, weil ich zweimal und er gar nicht getroffen hatte. Er verlor nicht gern, besonders nicht gegen einen wie mich. Als er fertig war, stand er auf, um mir zu zeigen, dass er das Spiel erst jetzt richtig ernst nahm. Aber dann traf ich die Dose zum dritten Mal, und ihm riss der Geduldsfaden und er fing an, mich mit Steinen zu bewerfen. Es tat weh, und ich sagte zu ihm, er solle aufhören, aber er tat so, als gehörte es zum Spiel, und beschimpfte mich als Heulsuse.

Ich war kurz davor, mein Rad aufzuheben und wegzufahren, als wir hinter einer Garage ein leises Wimmern hörten. Reece steckte seine Steine in die Tasche, und wir gingen nachsehen. Das Geräusch verstummte, wir suchten in allen

Ecken, konnten aber nichts finden. Gerade als wir aufgeben und weggehen wollten, setzte das Wimmern wieder ein, in der Nähe meiner Füße. Ich ließ mich auf alle viere nieder und spähte durch das lange Gras. Ungefähr dreißig Zentimeter von der Garagenwand entfernt entdeckte ich ein graues Kätzchen. Es saß wie eine winzige Statue da, den Schwanz ordentlich um die Pfoten gerollt. Reece war schnell neben mir und beugte sich vor, um das Kätzchen zu streicheln, aber noch ehe er es berührte, schoss eine Pfote vor und krallte sich in seine Hand. Reece zog die Hand weg, hielt sie hoch und begutachtete sie. Aus einem schmalen Riss perlten kleine Blutstropfen.

»Die ist bösartig«, sagte er.

»Wahrscheinlich hat sie nur Angst«, erwiderte ich. »Offenbar hat sie ihre Mutter verloren.«

Reece blickte auf die kleine Katze hinunter und sagte: »Sie hat kein Halsband. Ob das eine wilde ist?«

Manchmal wagten sich verwilderte Katzen von den Feldern in die hintere Gasse und fraßen aus den Abfalltonnen.

»Ich glaub schon«, sagte ich.

Reece beugte sich vor und versuchte sie wieder zu streicheln, aber diesmal haute sie ihm ihre Kralle tief in die Hand. Er schrie vor Schmerz und holte mit dem Fuß nach ihr aus. Das Kätzchen flog zurück, knallte gegen die Garagenwand, landete auf der Erde und rührte sich nicht vom Fleck. Es wirkte benommen.

»Du darfst sie nicht treten!«, sagte ich.

»Sie muss ihre Lektion lernen«, sagte Reece und schubste mich. Ich richtete mich auf, schaute ihn an und sah, dass er eine Träne wegblinzelte. Er wirkte genauso erschrocken wie das Kätzchen. Er untersuchte seine Hand, die um den neuen Kratzer herum hellrot war, trat gegen die Garagenwand und gab einen wütenden Schrei von sich. Mir war klar, dass jetzt alles nur noch schlimmer werden würde und es Zeit war zu verschwinden. Ich wandte mich zum Gehen. Ich wollte Reece loswerden, später zurückkommen und nach dem Kätzchen sehen, es vielleicht sogar retten und mit nach Hause nehmen.

»Lass uns gehen. Du solltest heim und deine Hand reinigen«, sagte ich. Reece hielt seine Hand hoch, als wollte er mir eine Stichwunde zeigen.

»Damit kann ich sie nicht davonkommen lassen«, sagte er, »sei nicht albern, Donald.«

Er warf einen Stein nach mir und boxte mich in den Arm. »Die könnte jeden angreifen. Stell dir vor, die würde auf meinen kleinen Bruder losgehen.« Ich hatte Reece' Bruder schon gesehen. Ein Vierjähriger mit Locken, einem Riesenkopf und dicken Armen und Beinen – er würde eher dem Kätzchen Angst einjagen als umgekehrt. »Das ist bestimmt eine von den Zigeunerkatzen«, sagte er. »Die haben Krankheiten. Wahrscheinlich muss ich mir eine Spritze geben lassen. Vielleicht muss ich sogar ins Krankenhaus.« Er trat wieder gegen die Garagenwand. »Wir sollten ihr das Handwerk legen, bevor sie noch jemanden angreift.« Er holte einen Stein aus seiner Tasche und warf ihn nach dem Kätzchen. Das Kätzchen versuchte davonzulaufen, war aber von dem Tritt noch benommen und hinkte. »Geh und hol ein paar Steine«, sagte Reece zu mir. »Du kannst mich nicht die ganze Arbeit allein machen lassen. Wir müssen sie aufhalten.«

»Sie ist verletzt. Wir sollten sie in Ruhe lassen. Sonst kriegen wir noch Ärger.« Ich hörte den weinerlichen Ton in meiner Stimme und wusste, Reece hörte ihn ebenfalls. Er ging auf mich los. »*Sie* ist verletzt? *Ich* bin verletzt! Ist dir eine dreckige kleine Zigeunerkatze wichtiger als ich?« Er boxte mich härter als vorher in den Arm und rieb mir einen Stein an den Kopf, bis ich aufschrie.

»Geh und hol ein paar Steine«, sagte er. Sein Gesicht war dicht an meinem, sein Atem süßlich und kalt.

»Ich glaube, wir sollten das nicht tun«, sagte ich.

»Geh und hol ein paar Steine«, sagte er wieder.

Als ich mich nicht rührte, stieß er mich auf den Boden und wir rangen miteinander, aber er war viel stärker als ich. Er nagelte mich fest, seine Knie auf meinen Armen, seine Hände drückten meine auf den Boden. Er beugte sich vor, hustete einen Schleimbatzen aus seiner Kehle und spuckte ihn mir ins Gesicht. »Geh und hol Steine.« Ich wischte mir das Gesicht, so gut es ging, mit dem Ärmel sauber und lief auf die Vorderseite der Garagen. Mein Fahrrad lag auf dem Boden. Ich blickte auf und sah das Dach von unserem Haus und mein Zimmerfenster. Ich wollte gerade losrennen, als Reece hinter mir auftauchte. Er drehte mir den Arm auf den Rücken, bis ich dachte, gleich kugelt er ihn aus, und sagte: »Zwing mich nicht, allen zu sagen, dass du ein feiger Hosenscheißer bist, Donald.« Er ließ mich los, und ich hob eine Handvoll Steine aus dem Schotter auf und folgte ihm hinter die Garage. Ich betete, dass das Kätzchen weggelaufen war, aber es war noch da. Selbst als Reece den ersten Stein mit voller Wucht warf, dachte ich noch, ich könnte das Ganze vielleicht aufhalten.

Ein paar Monate später, nach der Sache mit dem kleinen Jungen, als ich wieder zur Schule ging, kursierte dort ein Gerücht über mich. Reece hatte allen erzählt, was passiert war, aber er änderte die Geschichte dahingehend, dass ich das Kätzchen unbedingt hatte töten wollen, während er versucht hatte, mich davon abzuhalten. Er erzählte, ich hätte den Kopf des Kätzchens mit einem großen Stein zerschmettert und es dann in einen Bach gekickt. Noch ein paar Tage zuvor hätte ihm diese Geschichte vermutlich niemand abgenommen, aber als ich in die Schule zurückkehrte, galt ich schon als Killer, die Schüler glaubten liebend gern alles über mich. Innerhalb weniger Tage war ich von einem normalen Jungen, der sich einem üblen Tyrannen gegenüber nicht behaupten konnte, zu einem Mörder und Katzenkiller geworden. Einem Psychokiller.

18

Ich kam in den frühen Morgenstunden aus der Faraday-Siedlung zurück, und der Sonntag fing damit an, dass Mum mich wachbrüllte und beschuldigte, ich würde Alkohol und Drogen und sonst noch alles Mögliche nehmen, was ihr durch den Nebel ihrer Wut einfiel. Ich wollte nicht reagieren, aber sie hatte keine Lust auf einen einseitigen Streit, und so gab ich mein Bestes, und wir schrien uns an, bis uns die Stimmen versagten und die Argumente ausgingen. Am Ende zitterten wir beide, waren leer und erschöpft. Sie hatte nicht mal die Energie, meine Tür zuzuknallen, als es endlich vorbei war. Ich verbrachte den Rest des Tages in meinem Zimmer, lag auf dem Bett, ignorierte Bücher und Hausaufgaben und machte mir Sorgen um Jake.

Am Montag suchte ich ihn auf dem Heimweg von der Schule. Ich erwischte ihn an der Pickup Street, am Eingang zum Park. »Ist sie zurückgekommen?« Er blieb überrascht stehen. Ich hatte ihn überfallen, ohne Erklärung. Ich musste mich beruhigen. Manchmal bin ich so in meine Gedanken verstrickt, dass ich ganz vergesse, dass nicht jeder so denkt.

Ich lief neben ihm her und wir plauderten über seinen Tag in der Schule. Er war gutgelaunt. Die Fußballjungs hatten beschlossen, dass Harry nun doch keiner von ihnen war, und ihn mit seinen rötlichen, plattgedrückten Stachelhaaren und seinen glänzenden, abgewetzten Turnschuhen zu Jake zurückgeschickt. Sie waren jetzt also wieder zu zweit bei ihrem Baum, plauderten miteinander und alberten herum. Und das Beste: Harry hatte seit seiner Rückkehr nicht mehr gesagt, dass Jakes Atem stank oder seine Kleider Schrott waren. Ich freute mich für Jake, wirklich, dachte aber unwillkürlich, was für ein kleiner Mistkerl Harry war, dass er jemanden so behandelte – erst kehrt er Jake wegen der Fußballclique den Rücken, und sobald sie genug von ihm haben, kommt er zurückgekrochen. Aber ich sagte nichts, denn es war schön, Jake etwas glücklicher zu sehen, er war wieder mehr er selbst. Nachdem Jake mir das von Harry erzählt hatte, versuchte ich es noch mal.

»Ist deine Mum am Sonntag zurückgekommen?«, fragte ich.

»Ja. Sie ist abends mit mir essen gegangen.«

»Um wie viel Uhr ist sie zurückgekommen?«

»Gegen Mittag, und dann ging sie ins Bett. Als sie aufstand, sagte sie, sie hätte einen Mordshunger, und wir sind essen gegangen. Ich bestellte einen Burger.«

Ich sagte eine Weile nichts, und dann meinte Jake: »Das ist in Ordnung. Mir macht das nichts aus.«

Ich wusste, dass er log. Ich merkte, wie er den kleinen Erwachsenen herauskehren und tapferer erscheinen wollte, als er war. Ich war stolz auf ihn, aber er konnte mich nicht täuschen.

»Das ist nicht richtig, Jake. Sie sollte dich nicht allein lassen, weißt du. Du bist noch ein kleiner Junge.«

Er schwieg eine Weile. »Ich bin nicht gern allein. Tagsüber stört es mich nicht, aber nachts, wenn es dunkel ist, höre ich Geräusche. Das mag ich nicht. Ich lass das Licht in meinem Zimmer an, weiß aber trotzdem, dass es überall dunkel ist, und dann krieg ich Angst vor dem, was draußen im Dunkeln ist.«

»Na ja, nachts fürchtet man sich leicht vor Dingen, die einem tagsüber nichts ausmachen«, erwiderte ich. »Wenn du am Tag einen dumpfen Schlag hörst, denkst du nicht darüber nach, aber nachts ist das anders.« Ich versuchte, ihn zum Lachen zu bringen. »Dann wird es zum Monster auf der anderen Türseite.« Ich zog eine Grimasse und mimte ein stapfendes Monster, aber er lächelte nicht.

»Wenn ich nachts an den Mann denke, der die Frau durch die Dielenbretter erschossen hat, stelle ich mir immer vor, er ist unten im Haus. Er kommt gleich und erschießt mich. Wenn meine Mum nicht da ist, schalte ich manchmal in jedem Zimmer das Licht an und hab trotzdem Angst. Wenn ich oben bin, denke ich, er ist unten, und wenn ich unten bin, höre ich oben Geräusche und denke, er wartet dort auf mich.«

Ich war dumm gewesen. Es war meine Schuld.

Ich legte meinen Arm um seine Schulter und sagte: »Du bist ein tapferer Junge, das weiß ich.«

Wir näherten uns seiner Straße, es wurde Zeit, dass ich ging. Ich fragte ihn, ob wir uns am Samstag in der Bibliothek oder am Spielplatz treffen wollten, und wir einigten uns auf den Spielplatz. Wir verabredeten eine Zeit, dann ging ich nach Hause und überlegte unterwegs, was ich mit Jake machen sollte.

Mum war immer noch in einer düsteren Stimmung, ihre Laune übertrug sich auf das Haus und füllte die Zimmer mit Ärger und Frust. Sie war deprimiert, wenn ich zu viel im Haus war; sie war deprimiert, wenn ich nicht genug da war. Das richtige Maß zu finden war normalerweise schon schwierig genug, aber in letzter Zeit versuchte ich es erst gar nicht mehr. Man konnte ihr ohnehin nichts recht machen. Selbst wenn man nur dasaß und nichts sagte, reagierte sie gereizt. Wenn sie so ist, kann man nichts daran ändern. Wenn hinten im Garten ein Vogel im Baum singt, knallt sie die Tür zu. Wenn ein Nachbar zwei Häuser weiter in seinem Schlafzimmer pfeift, wird er verflucht. Bis jetzt hatte ich ihre Launen immer toleriert, hatte sie umgangen und zu lindern versucht, aber langsam fehlte mir die Geduld. Mir reichte es. Sie verhielt sich, als wäre sie die einzige Person auf der Welt, die traurig, einsam, frustriert und verzweifelt war. Und da ich über vieles nachdenken musste, war ich nicht in der Stimmung für sie. Sobald ich durch die Haustür kam, fing sie an, also war ich fünf Sekunden später durch die Hintertür wieder draußen. Ihre Stimme verstummte mit dem Zuknallen der Tür, allerdings nur für eine Sekunde, dann wurde sie wieder aufgerissen und Mum drohte mir schreiend Strafen an. Ich lief, so schnell ich konnte, weg und drehte mich nicht um. Mich interessierten ihre Schimpftiraden nicht. Sollte sie sie doch für Donnerstagabend aufheben und in ihr verdammtes Tagebuch schreiben. Ich musste raus, ich musste nachdenken, und ich konnte nicht nachdenken, wenn sie in einer Ecke vor sich hin kochte. Mit einem Mal wusste ich, was ich brauchte. Es traf mich wie ein Schneeball ins Gesicht. Ich musste Fiona sehen.

Der Steinbruch war verlassen. Weit und breit keine Fiona. Ausgerechnet wenn ich sie am dringendsten brauchte. Dieser Spruch »Man kann nichts erzwingen« ist Unsinn. Warum soll man nichts erzwingen können? Sie sollten lieber ein Sprichwort darüber verfassen, dass man nie jemandem über den Weg läuft, wenn man es möchte, denn das trifft wirklich zu. Ich beschloss, sie zu besuchen. Ich hatte das schon lange nicht mehr gemacht, aber ich musste sie einfach sehen.

Ich ging in den Steinbruch hinunter und auf der anderen Seite wieder hoch, querfeldein, über den Zaun, und war in fünf Minuten oben an der Salthill Road. Vor mir erstreckten sich ungefähr sechzig Häuser in einer Reihe. Alles ehemalige Sozialwohnungen, alle gleich aussehend. Ich konnte mich nicht mehr an die Hausnummer erinnern, schlenderte die Straße entlang und hatte Glück – die britische Flagge hing immer noch vorne im Garten, verschlissen und abgenutzt, als wäre sie oft gebraucht worden. Fionas Dad hatte sie vor Jahren gehisst, als eine asiatische Familie ins Nachbarhaus gezogen war, und seitdem hing sie da, obwohl die asiatische Familie längst wieder weg war. Inzwischen war sie in einem elenden Zustand – das Weiß ein fleckiges Grau, das Rot zu einem hellen Pink verblasst und aus dem Kreuz verlaufen. Ich dachte noch mal nach, als ich vor dem Haus stand. Es hatte nie einladend gewirkt, und ich war nicht scharf auf ihren Dad oder ihre Brüder, aber ich wollte Fiona unbedingt sehen. Ich klopfte und sagte mir im selben Moment: Bitte, lass es Fiona sein. Bitte, lass es Fiona sein. Bitte, lass es Fiona sein. Aber nein, ihr jüngerer Bruder Tyler öffnete die Tür. Er musterte mich von oben bis unten und biss in ein Stück Brot. »Ja?«, sagte er und kaute. Es war Jahre her, seit er mich gesehen hatte, er hatte nicht die geringste Ahnung, wer ich war. Ich fragte, ob Fiona da sei, woraufhin er breit grinste und das Brot in seinem Mund wie Kartoffelbrei aussah. »Du Drecksack«, sagte er. Er brüllte nach Fiona, verschwand wieder im Wohnzimmer und knallte die Tür zu. Ich hörte Fiona irgendwo fluchen, und ein paar Sekunden später polterte sie die Treppe herunter. Unten angekommen, sagte sie, ich solle kurz warten, und verschwand hinter einer Tür. Wenig später erschien sie mit ihrer großen Jacke, zog die Tür hinter sich zu, und wir machten uns auf den Weg. Ich hatte sie mir genau angesehen, als sie die Treppe heruntergekommen war. Es war einer der wenigen Tage, an denen sie kein Make-up trug, und ich fand, sie wirkte müde. Aber draußen im Tageslicht, als die Sonne auf uns schien, sah sie schöner aus denn je. Ihr Anblick schnürte mir die Kehle zu. Sie trug Jeans, ein rotblau kariertes Hemd und ihre große Jacke. Sie sah so perfekt aus, dass ich am liebsten eine Mauer um sie gebaut hätte, damit nie etwas Böses an sie herankäme. Wir liefen in der späten Nachmittagssonne, und obwohl es noch warm war, kuschelte sie sich in ihre Jacke und schlang die Arme um sich. Im selben Moment dachte ich, dass ganz gleich, was in meinem Leben passieren würde, ich mich immer an diesen Augenblick erinnern würde – wie wir uns von ihrem Haus entfernten und sie so wunderschön aussah, an die Sonne auf unserem Rücken, die stille, ruhige Stadt, als hätte Gott die Pausetaste gedrückt und nur bei uns beiden ging es weiter. Ich fragte, ob alles in Ordnung sei, und sie sagte ja, »aber kaum bist du einen idiotischen Bruder los, tritt der jüngere in seine Fußstapfen«. Ich sagte, das täte mir leid, aber sie überging meine Bemerkung mit einem Schulterzucken. »Wie kommt es eigentlich, dass du kein großes Arschloch bist, Donald? Du bist doch ein Junge, hast das richtige Alter. Warum grabschst du mir nicht an den Hintern, betrinkst dich, prügelst dich und bist ein Idiot?« Ich sagte ihr die Wahrheit: »Meine Mum würde in die Luft gehen.« Sie lachte und hakte sich bei mir unter.

Wir gingen die Waddington Road entlang, die von der Stadt weg zum Fluss führt. Nach einer Linkskurve folgt eine Rechtskurve, und plötzlich blickt man auf den Hoddale hinunter, der an den Ausläufern der Stadt vorbei und weiter aus dem Tal fließt. Als wir ihn dort unten eingebettet zwischen den Feldern sahen, konnten wir kaum glauben, dass er fließendes Wasser führte. Er glich einer Landstraße, die sich durch die Umgebung schlängelte, und selbst als wir näher kamen, sah es nicht so aus, als ob das Wasser sich bewegte. Nachdem wir am Fußende des Hügels über den Zaunübertritt geklettert und ein paar Meter am Fluss entlanggegangen waren, sagte Fiona: »Komm schon, Donald. Was ist los? Was bedrückt dich?«

Im selben Augenblick donnerte hinter uns ein Auto über die schmale Brücke, der Motor heulte auf und die Reifen quietschten in der Kurve. Der Lärm erschreckte uns, und wir drehten uns um und sahen, wie das Auto mit schlingerndem Heck davonraste. Eine Frau stand mit ihrer Tochter auf der Brücke, das Auto war vermutlich knapp an ihnen vorbeigefahren. Das kleine Mädchen weinte und presste seinen Kopf an den Rock seiner Mutter. Man konnte sehen, dass die Frau ebenfalls erschüttert war, aber sie versuchte das Mädchen zu überreden, von der Brücke zu gehen, dorthin, wo die Straße breiter wurde und der Gehsteig anfing. Das Mädchen wollte den Rock nicht loslassen, die Frau musste die kleinen Hände wegreißen, damit sie ihre Tochter hochheben und von der Brücke tragen konnte. Als sie sicher auf dem Gehsteig waren, ging ich ans Flussufer, hob ein paar Steine auf und fing an, sie ins Wasser zu werfen, so fest ich konnte.

»Ist alles in Ordnung, Donald?« Fiona war mir gefolgt und stand hinter mir. Ich nickte, warf aber weiter Steine.

»Du wirkst ein bisschen angespannt«, sagte sie.

Das war ich auch. Angespannt war genau das richtige Wort. Ich war aufgewühlt. Unruhig. Zu viel Energie, die nirgendwohin konnte. Ich hatte das Gefühl, als könnte ich auf der Stelle nach Clifton zurückrennen. Ich hatte das Gefühl, als könnte ich nicht atmen und keinen Schritt laufen. Ich hatte das Gefühl, als würde mir in drei Sekunden schlecht, als durchlebte ich immer wieder jene kurze Zeitspanne, in der man durcheinander ist und Schmerzen hat und am liebsten aus seinem Körper möchte. Ich wollte ihr von dem kleinen Jungen in Clifton erzählen. Ich wollte ihr erzählen, dass ich einen kleinen Jungen getötet hatte und dass ich das eine Zeitlang gar nicht so schlimm gefunden hatte, weil es ja keine Absicht gewesen war und man mir gesagt hatte, er wäre im Himmel, und für mich war das damals in Ordnung gewesen. Sie sollte wissen, dass ich kein schlechter Mensch war, weil ich nicht gezittert, geweint und gejammert hatte, als ich herausfand, dass er tot war. Ich wusste einfach nicht, was ich getan hatte. Ich hatte nicht die geringste Ahnung. Und dann verschwanden wir, und Mum wollte nicht, dass darüber gesprochen wurde, deshalb wurde nicht darüber gesprochen. Aber jetzt wollte ich nicht mehr schweigen, ich wollte schreien, bis mir die Kehle riss. Sie sollte wissen, dass es sich gut anfühlen würde, durch die Stadt zu laufen und zu schreien: ICH HABE EINEN KLEINEN JUNGEN GETÖTET, ICH HABE EINEN KLEINEN JUNGEN GETÖTET, immer wieder, bis es jeder wusste. Und ich wollte ihr von Jake erzählen. Ich wollte über Jake reden, einen großartigen kleinen Jungen, um den sich niemand kümmerte. Niemand sah, was sich da abspielte.

Aber was ich ihr wirklich erklären wollte, war das Gefühl, in einer Taucherglocke zu leben, in der man eingeschlossen ist und sich nicht bewegen kann und alles immer nur noch enger und kleiner wird, bis man sich vorkommt wie die kleinste russische Matroschka-Puppe in einem Satz von hundert Puppen, tief vergraben in einer Schachtel im Garten eines Hauses, in dem nie jemand gelebt hat. Ich wollte ihr erzählen, dass es mir nicht gutging, und zwar schon sehr lange. Stattdessen blieb ich stehen und sagte, dass ich nach Hause wolle. Sie sah mich schweigend an, wir drehten um und gingen langsam wieder in Richtung Brücke und Waddington Road. Als wir ihr Haus erreichten, nahm Fiona meine Hände und sagte: »Donald, wenn du jemanden zum Reden brauchst, komm einfach vorbei. Ich weiß, dass es manchmal nicht ganz leicht für dich ist, aber wenn du mit jemandem reden musst, komm vorbei.« Sie umarmte mich, und ich umarmte sie ebenfalls, und sie zu spüren und zu riechen war das Beste, was mir seit Jahren passiert war. Ich blinzelte meine Tränen zurück, und Sekunden später verschwand sie hinter einer geschlossenen Tür.

Ich ging nicht nach Hause, sondern zurück in die Stadt und zur Gillygate Primary. Oben am Zaun blieb ich stehen und schaute in den Hof. Ohne herumtobende Kinder wirkte er fremd. Ich versuchte, sie mir vorzustellen: Jake und Harry drüben am Baum, die Fußballclique auf der anderen Seite, und die kleinen Mädchen, die überall herumhüpften. Aber es war unmöglich, sich so viel Leben an einem derart stillen Ort vorzustellen, und die Leere bedrückte mich noch mehr, sodass ich schnell wieder ging. Ich lief zu Jakes Straße und spähte zu seinem Haus hinüber, aber auch dort sah ich kein Zeichen von Leben.

Ich drehte eine Runde um die Stadt und landete am Steinbruch. Mein Körper war jetzt müde, aber mein Verstand rotierte nach wie vor. Ich legte mich unter einen Baum, betrachtete den verlassenen Steinbruch und dachte an Jake. Und dann musste ich an den kleinen Jungen in Clifton denken.

Er war zweieinhalb Jahre alt. Er lebte mit seinen Eltern am Fuß der Hawthorne Road, Nummer fünf. Wir wohnten oben, Nummer fünfundsiebzig. Seine Eltern haben sich nach dem Unfall getrennt – nach dem Verlust eines Kindes kommt das oft vor, nur die wenigsten Beziehungen überstehen so etwas. Aber Scheidungen sind heute ohnehin an der Tagesordnung, wer weiß also, was ohne den Unfall passiert wäre? Sie haben ihn sehr geliebt – das wusste ich. Ich sah sie oft im Park in Clifton. Sie schubsten ihn auf der Schaukel an oder ließen ihn die kleine Rutsche runterrutschen, einer setzte ihn oben hin, der andere fing ihn unten auf, und er quiekte vor Vergnügen. Wir hatten nie miteinander geredet, bevor es passierte, und wir redeten auch hinterher nicht miteinander. Ich dachte, sie kommen mich vielleicht besuchen, um meine Version der Geschichte zu hören, aber die Polizei hatte ihnen offenbar den Ablauf geschildert. Und dann war da natürlich der Vorfall in ihrem Garten mitten in der Nacht. Danach kamen sie natürlich nicht mehr vorbei.

Ich denke oft an sie. Frage mich, wie es ihnen geht. Vermutlich geben sie sich die Schuld an dem Unfall. Das müssten sie eigentlich. Ich hoffe, sie tun es. Sie müssen zumindest einen Teil der Schuld auf sich nehmen. Immer wenn ich daran denke, komme ich zu demselben Punkt: Sie hätten ihn nicht nach draußen lassen dürfen. Sie hätten besser aufpassen müssen. Hätten vorsichtiger sein müssen. Vielleicht haben sie sich deshalb getrennt. Vielleicht gab einer dem anderen die größere Schuld und das hat die Beziehung ruiniert. Vielleicht leidet der mit der größeren Schuld manchmal auch unter Atemproblemen. Vielleicht haben sie seit dem Vorfall auch keine richtigen Freunde mehr und erzählen es niemandem, aus Angst, man könnte sie verurteilen. Das würde ihnen recht geschehen. Ich bin grausam, ich weiß, aber manchmal will ich so sein. Mich hat der Vorfall im Laufe der Jahre langsam, aber sicher zermürbt, und zwar auf eine hinterlistige Art und Weise. Eine Zeitlang dachte ich, die Folgen wären handhabbar, ich könnte sie mit Vernunft und klarem Denken von mir fernhalten. Aber der Verstand ist nicht so stark wie die Mauern einer Festung. Mitten in der Nacht wacht man auf, und die Mauern um dein Gehirn sind weich wie Kartoffelbrei. In manchen Nächten träumt man und kann die Träume nicht aufhalten. An manchen Morgen wird man beim Aufwachen attackiert, bevor man die Gelegenheit hat, sich zu schützen. Und nach jeder Attacke braucht man länger, um die Mauern wieder zu errichten, und man weiß, bald kommt eine neue Attacke, und man wird müde und es wird schwerer, den Kopf über Wasser zu halten, und irgendwann fragt man sich, ob es sich überhaupt noch lohnt, den Kopf über Wasser zu halten. Es lohnte sich für Fiona. Es lohnte sich für Jake. Das wusste ich. Was Jakes Mum offenbar nicht begriff, war, dass jeder Schritt, den er machte, sein letzter sein konnte. Sie schien zu vergessen, dass kleine Jungen innerhalb von einer Sekunde tot sein können. Die Gefahr lauert überall. Ich musste früh lernen, dass einem der Tod nicht nur im hohen Alter widerfährt, dass er nicht unter der Oberfläche der Welt lauert und sich am Ende eines langen Lebens auf Zehenspitzen anschleicht. Tod ist jetzt. Tod ist präsent. Er trifft Babys und kleine Katzen ebenso wie die Alten und Gescheiterten. Er ist immer da, auch an den sonnigsten Tagen im Jahr, keiner kann ihm entkommen. Der kleine tote Junge hieß Oliver Thomas.

Irgendwann färbte sich der Steinbruch blau, die Bäume schwärzten ein, die Vögel hörten auf zu singen, und mir wurde kalt. Es war Zeit, nach Hause zu gehen. Ich ging durch die Hintertür hinein und sofort auf mein Zimmer. Ich machte genug Lärm, damit sie wusste, ich war da, aber sie kam noch nicht mal raus und schrie. Ich konnte nicht schlafen. Ich war völlig aufgedreht, in mir sprudelte es wie in einer umgekippten Bierdose. Ich konnte nur schwer atmen, bekam kaum Luft in die Lunge. Meine Gedanken kamen nicht zur Ruhe, sie überschlugen sich wild, und ich versuchte erst gar nicht zu schlafen. Alles, das Ganze, war ein einziges Chaos. Ich wusste nicht mehr, wo anfangen.

19

Meine Atemprobleme fingen an, als ich zehn war. Wir wohnten noch nicht lange in Raithswaite, als es zum ersten Mal passierte. Es gab keine Vorwarnung, nichts, was darauf hingedeutet hätte, deshalb war es ziemlich beängstigend, als ich mitten in der Nacht aufwachte und das Gefühl hatte, ich würde ersticken, weil ich keine Luft in die Lunge bekam. Trotz meiner Panik versuchte ich zu denken: Ich kann nicht atmen, aber man braucht Luft zum Atmen, und draußen ist viel Luft. Ich öffnete mein Zimmerfenster und streckte den Kopf in die kalte Nacht hinaus, aber das änderte nichts. Obwohl überall Sauerstoff war, drang er nicht durch meine Nase in die Brust. Ich ertrank in mir selbst. Diese Erkenntnis verdreifachte meine Panik. Ich rannte in Mums Zimmer, schaltete das Licht an und schrie: »Ich krieg keine Luft, ich krieg keine Luft!« Und noch ehe sie etwas unternehmen konnte, stürmte ich die Treppe hinunter, riss die Haustür auf und rannte auf die Straße. Keuchend fiel ich auf Hände und Füße, versuchte immer noch Luft in die Lunge zu bekommen. Mum kam zu mir heraus, packte mich an den Schultern und zog mich hoch. Sie nahm meinen Kopf in die Hände, schaute mir in die Augen und sagte, ich solle aufhören durchzudrehen. Ich wusste nicht, wovon sie redete, ich drehte nicht durch – ich würde gleich sterben. »Ich krieg keine Luft«, keuchte ich, »ich muss sterben.« Sie sagte, sie hätte einen Krankenwagen gerufen und wir sollten drinnen warten, im Warmen. Sie half mir zurück ins Haus. Die Frau am Telefon hatte ihr gesagt, ich solle ein Glas warme Milch trinken, bevor der Krankenwagen kommt. »Ein Glas warme Milch?« Ich war verunsichert. Wie sollte ich trinken, wenn ich keine Luft bekam? Ich musste mich mit dem Kopf zwischen den Knien hinsetzen, während Mum Milch in einem Topf warm machte. Wir saßen ungefähr eine halbe Stunde am Küchentisch, bis mir klar wurde, dass sie keinen Krankenwagen gerufen hatte und keine Rettung kommen würde. Aber an irgendeinem Punkt in dieser halben Stunde war mir wieder eingefallen, wie man atmet. Ich war immer noch zittrig und verängstigt, aber meine Lunge funktionierte, durch meine Nase strömte Luft in sie hinein. Als ich die Milch ausgetrunken hatte, brachte Mum mich nach oben, steckte mich ins Bett und sagte, ich solle mich beruhigen. »Wenn du dich da reinsteigerst, geht das dein Leben lang so.« Ich lag starr wie eine Salzsäule im Bett und rechnete jeden Moment mit dem Tod. Aber ich überstand die Nacht, und um die Mittagszeit am nächsten Tag vergaß ich das Ganze langsam, vergaß ich meine entsetzliche Angst.

Zwei Wochen später passierte es wieder, und ein paar Tage später dann noch mal. Im Laufe der Zeit passierte es so regelmäßig, dass es eine Erleichterung war, wenn ich einen Tag ohne dieses Erstickungsgefühl hinter mich brachte. Jedes Mal war ich sicher, ich würde sterben und all die anderen Male hätten nur zu diesem einen Moment hingeführt, an dem ein Überleben unmöglich war. Aber Mum glaubte mir nicht. Sie hielt das Ganze für eine Reaktion auf den Vorfall in Clifton. Mein Verstand, sagte sie, spiele mir einen Streich, ich müsse mich nur beruhigen. »Stress ruft manchmal die komischsten Körperreaktionen hervor«, sagte sie. So etwas Dummes hatte ich noch nie gehört. Ich *glaubte* nicht, dass ich keine Luft bekam – ich *bekam* keine Luft. Das hatte nichts mit Stress zu tun. Mit meinem Körper war irgendetwas nicht in Ordnung, und wenn es nicht behoben wurde, würde ich sterben.

Nach einigem Drängeln und Bitten durfte ich schließlich

zum Arzt, aber ich musste ihr versprechen, Clifton nicht zu erwähnen. »Wenn du auch nur ein Wort darüber verlierst, wollen sie in deinem Kopf nachforschen. Dann musst du ihnen alles erzählen, sie fragen dich nach deinen Gefühlen, und das wirft dich wieder zurück.« Ich wollte Clifton nicht erwähnen, hatte nicht das geringste Interesse daran, Clifton zu erwähnen. Ich wollte wieder atmen können und am Leben bleiben. Clifton war damals das Letzte, was ich im Sinn hatte.

Der Arzt war ein alter Mann mit weißem Bart. Er sah aus wie der Weihnachtsmann.

»Was führt dich denn heute hierher, Donald?«, fragte er.

»Er sagt, er kriegt keine Luft und muss sterben«, antwortete meine Mum.

»Stimmt das, Donald? Du glaubst, du musst sterben?«

Ich nickte.

»Das klingt ernst. Wir werden dich mal genauer ansehen.«

Er bat mich, mein Hemd auszuziehen, und presste mir das Stethoskop zuerst auf die Brust und anschließend auf den Rücken. »Jetzt hol bitte mal tief Luft, Donald.« Dann hielt er meine Zunge mit einem kleinen Holzspachtel nach unten und leuchtete mir mit einer Taschenlampe in Hals und Ohren. Er forderte mich auf, so fest ich konnte in ein Plastikröhrchen zu pusten, und notierte sich das Ergebnis. Er maß meinen Puls und Blutdruck und bat mich, zwanzig Scherensprünge und zehn Liegestütze zu machen.

»Und wie ist dein Atem jetzt?«, fragte er.

»Gut«, sagte ich. »Aber manchmal ist es nicht so. Manchmal krieg ich keine Luft.«

Er machte sich ein paar Notizen auf seinem Computer, schaute mich an und sagte: »Mit dir ist alles in Ordnung,

Donald. Du bist genauso gesund wie jedes andere zehnjährige Kind.«

Verzweiflung stieg in mir auf. Tränen traten mir in die Augen. Wenn ein Arzt mir nicht glaubte, wer sollte mir dann helfen? Er sah meine Not, legte den Kopf schief und schaute mich an. »Ich möchte deiner Mutter noch ein paar Fragen stellen, Donald. Ist das in Ordnung?«

Ich nickte.

»Ist er ein ängstliches Kind?«

»Kommt gelegentlich vor«, sagte meine Mum.

»Ist in letzter Zeit etwas vorgefallen, das seine Aufregung verursacht haben könnte?«

»Wir sind gerade aus einer anderen Stadt hierhergezogen. Er ist in eine neue Schule gekommen.«

»Liegt es daran, Donald? Vermisst du deine alten Freunde?«

Er war so weit davon entfernt, mich zu verstehen, dass es mir unmöglich vorkam, ihn in die richtige Richtung zu lenken. Ich sagte kein Wort.

»Das ist eine große Veränderung für einen kleinen Jungen. Besonders wenn er sensibel ist. Er wird eine Weile brauchen, um sich anzupassen. Geben Sie ihm ein paar Monate, dann fegt er durch Raithswaite, als wäre er hier geboren und aufgewachsen. Körperlich ist mit ihm alles in Ordnung. Ihm fehlt nichts. Er soll Fußball spielen, sich im Freien bewegen, sich austoben. Dann wird er so müde, dass er die Sache mit dem Sterben vergisst.«

Er lächelte uns beiden zu, und Mum stand auf, um zu gehen.

Am selben Nachmittag passierte es in der Schule. Eine große Angst erfüllte mich innerlich. »Ich krieg keine Luft«, sagte ich zu Mrs Sutton. Ich musste mich ins Sekretariat setzen und in eine braune Papiertüte blasen. Sie rief meine Mum an, aber die weigerte sich zu kommen und mich abzuholen. Sie erklärte Mrs Sutton, dass wir beim Arzt gewesen waren und mir nichts fehlte. Ich mache das nur, um Aufmerksamkeit zu erregen, sagte sie, und sie solle mich wieder in den Unterricht schicken. Mrs Sutton schickte mich nicht sofort in den Unterricht zurück. Sie gab mir ein Glas Wasser und ich setzte mich für den Rest der Stunde mit meiner braunen Papiertüte auf einen Stuhl vor dem Sekretariat. Ich schleppte diese braune Papiertüte den ganzen Tag mit mir herum. Ich ging nie ohne sie aus dem Haus. Ich war überzeugt, sie war das Einzige, das mein Leben retten konnte.

Es dauerte Jahre, bis ich herausfand, dass ich an Panikattacken litt. Eine Frau wurde im Radio interviewt, und ihre Antworten ließen mich auf der Stelle erstarren. Sie beschrieb haargenau, was mir seit Jahren passierte, und die beiden schlichten Worte fassten den Schrecken bestens zusammen. *Panik Attacke.* Ich verzog mich in die Bibliothek und suchte nach Büchern. Ein ganzes Regal stand mir zur Auswahl, deshalb entschied ich mich für das am häufigsten ausgeliehene: *Leben ohne Panik* von Sue Cotterill. Die Attacken kamen zwar immer noch, aber das Buch half mir tatsächlich, ich lernte besser mit ihnen zurechtzukommen. Die Gefahr lässt sich nicht bannen, sie ist immer da, und selbst wenn man wochenlang keine Attacke hat, kann jederzeit eine im Hintergrund warten. Sie sind ziemlich gerissen. Man muss immer auf der Hut sein, denn sobald man es nicht ist, sobald man sich in Sicherheit wähnt, überfällt einen die Attacke aus dem Nichts und lässt einen entsetzt und zerschlagen zurück. Was mir nie in den Kopf wollte war, warum andere Leute Panikattacken hatten. Ich hatte allen Grund dazu, aber warum litten Hausfrauen, Buchhalterinnen und Mitarbeiterinnen von Schulkantinen darunter? Nicht jeder konnte etwas so Schlimmes wie ich getan haben. Was ließ normale Menschen zu zitternden, bebenden Wracks werden?

20

Ich hatte einen Entschluss gefasst. Ich wollte Jake helfen. Ich gab Mum die nötigen Informationen: Samstagabend würde ich zu Tom Clarkson gehen, wir wollten uns ein paar Filme ansehen, ich würde dort übernachten. Sie beäugte mich misstrauisch.

»Wer ist Tom Clarkson?«

»Ein Junge aus meinem Englischkurs.«

»Ihr betrinkt euch doch hoffentlich nicht im Park?«

Ich schüttelte den Kopf. »Er hat ein paar neue Filme, die er gern sehen möchte.«

»Ich dachte, du machst dir nichts aus Filmen.«

Damit meinte sie, dass sie es nicht mochte, wenn ich mir Filme ansah. Für sie sind alle Filme laut, dumm und gewalttätig.

»Ich mag Filme«, sagte ich.

Sie war verunsichert, diskutierte aber nicht weiter; die Sache war erledigt, ich war für Samstagabend von zu Hause entschuldigt. Am Samstagnachmittag traf ich Jake auf dem Spielplatz und gab ihm Anweisungen für den Abend.

Ich packte eine kleine Tasche mit dem Nötigsten. Ich hatte Schokokekse und Getränke besorgt, die uns über die Nacht hinweghelfen würden, denn wer wusste schon, was sie zu essen und trinken im Haus hatten. Kurz bevor ich ging, gab es einen heiklen Moment. Mum kam in mein Zimmer und sagte, sie wolle die Nummer von Tom Clarkson, für den Notfall. Ich schaltete sofort und antwortete, die Clarksons hätten nur Handys und ich wüsste die Nummern nicht. Ich musste ihr nur einen Straßennamen und eine Hausnummer aufschreiben und betete insgeheim, dass es nicht zum Notfall kam.

Es war ein schwüler, feuchtwarmer Abend. Ein drohendes Gewitter hing in der Luft, und obwohl die Sonne erst in ein paar Stunden untergehen würde, verdunkelten schwere Wolken die Stadt. Als ich mich von unserem Haus entfernte, donnerte es auf der anderen Seite des Denple Hill, und ich musste an die Stadt denken, die wir vor acht Jahren verlassen hatten. Ich fragte mich, ob sie wohl vom selben Donner heimgesucht wurde. Es war ein heißer Tag gewesen und normalerweise hätte es gegen Abend abkühlen müssen, aber die Hitze wurde von den Wolken gehalten und hing in den Straßen. Plötzlich überkam mich ein ungutes Gefühl. Die Spannung in der Luft erhöhte die Spannung in meinen Schultern, ich war kurz davor, die Panik gewinnen zu lassen. Ich musste tief und langsam durchatmen, um die Attacke abzuwehren.

Als ich mich dem Stadtzentrum näherte, regnete es hier und da dicke Tropfen, und ich überlegte, welche Folgen der Regen haben könnte. Würde Regen sie am Ausgehen hindern? Ich glaubte nicht. Wahrscheinlich brauchte sie ihren Samstagabend und den stiernackigen Mann in seinem schwarzen Hemd zu sehr. Der Regen brach ohnehin nicht richtig los. Platsch, platsch, plätscher, und dann nichts. Um sieben saß ich auf der Treppe beim Zahnarzt und wartete. Es dauerte nicht lange, bis die Straße belebter wurde, und ich erkannte sogar mehrere Gesichter vom letzten Mal. Ein paar Frauen zupften im Gehen an sich herum, zogen ihre Kleider vorne hoch und hinten runter. Die Männer trugen trotz des drohenden Regens kurzärmelige Hemden oder T-Shirts. Gebräunte Arme, dick wie Babyköpfe, wurden vorgeführt und spannten den Stoff zum Zerreißen. Ich betrachtete meine mageren Arme und fragte mich, ob sie wohl jemals so kräftig werden könnten. Es schien mir unwahrscheinlich. Diesmal kam sie früher, so gegen halb sieben. Anderes Kleid, gleiche Handtasche, die gleichen schnellen Schritte. Sobald ihr Hinterkopf im Eingang zum Social verschwand, stand ich auf und machte mich auf den Weg.

Der Gang durch die Stadt tat mir gut. Ich war draußen. Die ganze Nacht. Wir würden uns prima amüsieren und tun, was wir wollten. Er konnte sich früh hinlegen und ordentlich schlafen. Er würde ausnahmsweise mal erholt aufwachen, mit einem angenehmeren Morgen in Aussicht. Die Straßen lagen jetzt ruhig da. Die Leute waren entweder schon ausgegangen oder hatten es sich für den Abend bequem gemacht. Eine Brise hatte endlich die Wolken durchdrungen und bahnte sich ihren Weg durch die Stadt. Ich spürte sie wohltuend auf dem Hals und unter meinem Hemd, der Schweiß auf meinem Rücken wurde langsam kühl. Fünfzehn Minuten nachdem ich die Zahnarzttreppe verlassen hatte, bog ich in die Fox Street. Ich ging ein paar Meter bis zum Kiesweg, der hinter den Häusern entlangführte. Ich folgte dem Weg bis zu Jakes Garten, schloss leise die Gartentür hinter mir, blieb stehen und horchte. In der Nachbarschaft standen ein paar Fenster offen, man wollte die Brise hineinlocken, aber sie war noch zu schwach, um von der Straße in die Häuser zu gelangen. Aus dem rechten Haus drang typischer Samstagabend-Fernsehlärm: Lachen, Klatschen, Johlen, ein Sekundenbruchteil Schweigen, dann laute Werbung. Ich fühlte mich sicher. Die Gartenmauern waren so hoch, dass niemand mich sehen konnte, es sei denn, er war in einem der hinteren Schlafzimmer und schaute direkt auf die Stelle, wo ich stand. Aber an einem Samstagabend war niemand im hinteren Schlafzimmer, niemand schaute nach draußen. Ich ging die paar Schritte zur Hintertür und drückte die Klinke nach unten. Sie rührte sich nicht. Ich probierte es wieder, drückte fester, aber die Tür bewegte sich keinen Zentimeter. Einen Augenblick lang war ich verärgert. Ich hatte Jake Bescheid gesagt. Ich hatte ihm erklärt, dass er seiner Mum nichts sagen und die Hintertür aufschließen sollte, wenn sie weg war, dann wäre alles perfekt. Ich rief mich zur Vernunft. Ich war albern. Er war noch ein kleiner Junge. Mein Ärger verflog rasch. Da es noch zu früh für ihn war, um im Bett zu sein, klopfte ich an die Hintertür, bis sich durch die Milchglasscheibe eine kleine, verschwommene Gestalt näherte. Das Schloss schnappte, er zog die Tür auf, und ich schlüpfte hinein.

Um Mitternacht brach das Gewitter schließlich los. Ich wusste, dass es näher kam, denn die Wolken hingen noch tiefer, die Luft war noch drückender und die Energie konnte nicht entweichen, deshalb musste sie sich irgendwie entladen. Es war wie bei Mum und ihrem Schweigen. Wir waren oben in Jakes Zimmer, das Licht war aus, ich stand dicht am Fenster und beobachtete das sich zusammenbrauende Gewitter. Ich genoss die Dramatik. Jake lag im Bett und schlief fest, er gab keinen Laut von sich. Wir waren im Trockenen und in Sicherheit, das Wetter konnte uns nichts anhaben. Das Wetter konnte uns nichts anhaben, bis der erste Donner losging. Es klang, als würde man der Stadt den Bauch aufreißen. Jake fuhr mit der Wucht eines Springteufels hoch. »Was war das?« Seine Augen waren groß wie die seines Freundes Harry.

»Donner«, sagte ich. »Ein Gewitter, es wird ziemlich laut. Hast du Angst?« Ich merkte, dass er Angst hatte, und zwar entsetzliche Angst. Ich trat ans Bett, setzte mich und sagte, er solle ich hinlegen. »Du brauchst keine Angst zu haben«, sagte ich, gerade als die nächste Donnerwand heranrollte und die Straße erschütterte. Sein Gesicht sagte mir, dass er mir nicht glaubte, und das konnte ich gut verstehen. Ich hatte eben den lautesten Donnerschlag meines Lebens gehört, und ich war sicher, für einen Achtjährigen konnte sich das anhören wie das Ende der Welt. Ich hielt es für das Beste, ihn abzulenken. Ablenkung: eine Technik bei Panikattacken. Ich erzählte ihm alles, was ich über Donner wusste; Donner klang vielleicht schrecklich, war aber nur der Ton von einem Blitz, und Blitze waren nur Elektrizität in der Atmosphäre. Es nützte nicht viel. Er lag da, immer noch verängstigt, schaute zur Decke, dann zum Fenster, und fürchtete die nächste Explosion.

»Hast du manchmal Tagträume, Jake?«, fragte ich. Er hörte nicht zu, war zu gebannt von dem Geschehen draußen. Ich nahm seine Hände und sagte, er solle die Augen schließen und langsam atmen. Ich fragte ihn, was er später mal werden wolle. »Astronaut«, sagte er, ohne nachzudenken. Genau wie ich früher. »Gut. Stell dir vor, du hast alle Trainingsphasen durchlaufen. Hast dich monatelang vorbereitet. Du gehst mit dem Helm unterm Arm zum Spaceshuttle. Dann bist du festgeschnallt im Shuttle.« Es donnerte wieder, Jake zuckte zusammen. Ich riet ihm, die Augen zuzulassen und sich auf das zu konzentrieren, was ich sagte. »Du bist im Shuttle, Jake, und sie zählen runter bis zum Start. Du hörst das Heulen, das Shuttle vibriert, dann verlässt du den Boden und bohrst dich in den Himmel.« Er hielt meine Hände noch fester. »Das Shuttle zittert, der Lärm ist gewaltig und dein Kopf wackelt, als könnte er gleich explodieren, und dann ist es plötzlich still und ruhig und du fliegst durch den Weltraum.« Ein Blitz erleuchtete das Zimmer, ich fuhr fort. »Du schnallst dich los und schwebst jetzt im Shuttle. Du machst Saltos in Zeitlupe und schwimmst durch die Luft.« Ich beschrieb die Planeten, an denen er vorbeisegelte. Ich beschrieb die Erde, die auf die Größe eines blauen Punktes schrumpfte.

Als ich ihn jetzt so betrachtete, sah ich mich selbst vor acht Jahren; mein Bett ein Raumschiff, das in den Weltraum verschwand, und ich, der unbedingt mit ihm entkommen wollte. Das Gewitter verzog sich langsam, Jakes Hände lockerten sich, sein Gesicht wurde weicher. Der Donner grollte jetzt eher, als dass er explodierte. Ich legte kleine Pausen in meine Erzählung ein und merkte, dass keine Reaktion von ihm kam. Er war wieder eingeschlafen, lag flach auf dem Rücken, seine Nase zeigte zur Decke. Ich ließ seine Hände los und legte sie an seine Seite. Jakes Müdigkeit übertrug sich rasch auf mich. Ich rollte mich am Fußende des Bettes zusammen, wollte nur meine Augen ausruhen und wach bleiben, falls das Gewitter zurückkehrte, aber ich war zu müde und schlief ebenfalls ein.

Ich wachte nervös auf und schaute auf die Uhr. Es war halb fünf, dämmerte allmählich, und das Gewitter hatte sich längst verzogen. Ich richtete mich auf und setzte mich zu Jake. Ich zerzauste ihm das Haar, worauf er stöhnte und zuckte. Ich sagte seinen Namen, und er sah mich blinzelnd an. »Es ist jetzt hell, Jake, es ist früh am Morgen, ich geh jetzt los.« Er nickte und steckte seinen Daumen in den Mund. »Kommst du jetzt klar?«, fragte ich. Er nickte wieder, die Augen fielen ihm zu und er war wieder im Land der Träume. Ich beugte mich nach unten und küsste ihn leicht auf die Stirn. Er war warm und roch nach Schlaf. Ich sah ihn an und überlegte, wie er wohl ohne mich mit dem Gewitter zurechtgekommen wäre. Ich ließ ihn nicht gern allein, aber ich zwang mich die Treppe hinunter durch den Flur in Richtung Küche und Hintertür und überlegte dabei, was ich tun könnte, bis es Zeit war, nach Hause zu gehen.

Als ich die Küchentür aufstieß, saß sie vor mir. Sie schlief auf einem Stuhl, ihre Hände lagen auf dem Küchentisch, darauf ruhte ihr Kopf. Die Luft war sauer und schwül. Ich rührte mich nicht. Ich bezwang die Panik, die meinen Körper erfasste. Noch ehe ich mir meinen nächsten Schritt überlegt hatte, hob sich der Kopf vor mir. Zwei undurchdringliche Augen schauten mich an, dann sank der Kopf wieder auf die Hände. Ich blieb, wo ich war, unsicher, was als Nächstes passieren würde. Ich weiß nicht, wie lange ich dastand, sie beobachtete und auf irgendeine Bewegung wartete. Aber es kam keine. Ich schlich rückwärts aus dem Raum und hinaus in den Flur, öffnete die Haustür so leise, wie ich konnte, und schloss sie ebenso leise wieder. Dann rannte ich so schnell wie noch nie die Fox Street entlang, weg von Jake und seiner Mum.

Nach Hause gehen konnte ich nicht. Es war noch nicht mal sechs, eine so frühe Rückkehr würde Fragen provozieren. Nach allem, was gerade passiert war, brauchte ich alles andere als Mums Vorwürfe. Ich drückte die Tür zum Geisterhaus auf und lehnte mich von innen dagegen, bis sie zufiel. Mein Herz machte einen Satz, meine Beine zitterten. Ich stand in dem schmutzigen alten Flur an der Tür und versuchte mich zu beruhigen. Es war seltsam, um diese Tageszeit hier zu sein, allein hier zu sein. Und auch wenn es ein altes, verlassenes Haus war, in dem seit Jahren niemand gewohnt hatte, verströmte es die gedämpfte Atmosphäre von frühem Morgen. Leise stieg ich zu unserem Zimmer hoch, kroch unter den Plastiktisch, rollte mich ein und betete um einen Schlaf, der nicht kommen wollte.

Am Nachmittag überkam mich die Müdigkeit, und ich sagte Mum, ich würde zum Lesen nach oben gehen. Ich fiel in einen tiefen, schweren Schlaf, aus dem ich ein paar Stunden später angeschlagen und in düsterer Stimmung erwachte. Ob sie mich gesehen hatte? Ich wusste, dass sie mich gesehen hatte, sie hatte mir direkt in die Augen geblickt, aber hatte sie mich auch *wahrgenommen*? In der Schule hatten ein paar Jungen erzählt, dass sie sich an nichts erinnerten, weil sie so betrunken gewesen waren, aber ich wusste nicht, was daran wahr und was nur Gerede war. Ich wünschte, ich wäre wenigstens ein Mal in meinem Leben betrunken gewesen, damit ich wüsste, wie das war, damit ich wüsste, woran man sich erinnert und was man vergisst.

21

Der Mann schaute mich nicht mal an, als er die Getränke in eine Tüte packte. Ich hatte zwar nicht damit gerechnet, dass man mich nach meinem Ausweis fragen würde, denn aufgrund meiner Größe halten mich die Leute ohnehin immer für älter, aber wenn sich hier ein kleines Kind mit Alkohol hätte eindecken wollen, wäre es ebenso bedient worden. Ich ging zurück zum Geisterhaus, machte es mir auf dem Stuhl bequem und öffnete eine Dose. Ich hatte acht Dosen Lagerbier und eine Flasche Gin gekauft. Ich war mir nicht sicher, ob es reichen würde, aber im Notfall konnte ich ja noch mehr holen. Ich kippte eine Dose Lager hinunter und merkte nichts, deshalb probierte ich ein paar Schlucke Gin, aber er schmeckte wie Benzin, und ich brachte ihn erst hinunter, als ich ihn ins Bier mischte. Beides zusammen wirkte schließlich. Aber Jakes Mum war in einem schlimmen Zustand gewesen, darum trank ich weiter, um an den Punkt zu gelangen, an dem sie gewesen war. Es dauerte nicht lange. Ich weiß noch, dass ich zum Steinbruch ging. Ich weiß noch, dass ich den Mond anschrie, er sei ein großer, silbergesichtiger Mistkerl, und dachte, das sei lustig. Ich weiß nicht mehr, wie ich mir die Hand aufschnitt, ich weiß nicht mehr, wie ich mich am Knie verletzte. Aber ich weiß noch, dass ich mich in mein Zimmer schleichen wollte und von Mum erwischt wurde und nicht aufhören konnte zu lachen, als sie mich anschrie und auf den Kopf schlug. Ich weiß nicht mehr, dass ich mich aus meinem Zimmerfenster übergab, aber das tat ich, denn am nächsten Morgen musste ich es wegwischen. Von dem Geruch und dem Anblick wurde mir wieder schlecht, sodass ich zuerst das frische Erbrochene und dann das von letzter Nacht wegwischen musste. Am

Ende aber wusste ich immer noch nicht, ob Jakes Mum sich an mich erinnerte. Ich fand lediglich heraus, dass man sich nach so viel Alkohol am nächsten Morgen wie vergiftet fühlt und nur noch sterben möchte.

Es nicht zu wissen, machte mich krank. Ich wäre lieber in einem Verhörraum gewesen und hätte Fragen beantwortet als zu Hause in meinem Zimmer zu sitzen und mich bei jedem nahenden Auto zu fragen, ob es die Polizei ist. Ich war nicht zur Schule gegangen, denn in meinem Zustand hätte ich es nicht bis zum Eingangstor geschafft, ohne mich wieder zu übergeben, und Mum hatte noch nicht mal versucht, mich zu zwingen. Am Nachmittag ging es mir immer noch schlecht, aber ich musste es wissen. Ich zog los, um Jake auf dem Heimweg von der Schule abzufangen und zu fragen, ob seine Mum etwas gesagt hatte, aber mein Kopf war ein einziges Chaos, und ich war zu spät dran. Als ich zur Schule kam, traf ich gerade noch die allerletzten Trödler. Jake war längst weg. Ich folgte ihm, in der Hoffnung, ihn einzuholen oder vielleicht auf dem Spielplatz zu treffen, aber ich konnte nicht schnell gehen, denn jeder Schritt verursachte einen bohrenden Schmerz in meinem Gehirn und eine jähe Übelkeit in meinem Magen, sodass ich froh war, die Strecke überhaupt zu schaffen. Ich wollte gerade in die Fox Street einbiegen, als ich das geparkte Polizeiauto vor Jakes Haus sah. Direkt davor, nicht zu übersehen, kein Raum für Hoffnung. Ich drehte zur Waddington Road ab, meine Beine waren plötzlich wieder schwach. Ich lief zum Fluss, dorthin, wo Fiona und ich vor ein paar Tagen gewesen waren. Ich verließ die Straße so schnell wie möglich, überquerte ein Feld und ging zum Ufer hinunter. Ich fand eine Biegung, an der das kabbelige Wasser um die Ecke schwappte. Ich ließ mich ins Gras fallen. Ich dachte an nichts. Ich sah zu, wie das Wasser an die Steine platschte und sich seinen Weg um die Biegung bahnte. Mückenschwärme schwebten über dem Wasser und flackerten wie ein rauschendes Testbild. Ein brauner Fisch sprang in die Luft und hing dort eine Sekunde lang, ehe er wieder ins Wasser fiel. Ich war mindestens zwei Stunden dort, bevor ich schließlich aufstand und ging. Auf dem Heimweg durch die Stadt fühlte ich mich seltsam ruhig. Es war, als hätte ich insgeheim einen Entschluss gefasst. Es war ein warmer Abend, die Leute waren draußen, eine freundliche Atmosphäre lag über allem. Hunde beschnupperten mich interessiert im Vorbeigehen, Nachbarn unterhielten sich in ihren Gärten über die Hecken hinweg, überall standen Fenster und Türen offen. Ich merkte, dass ich Raithswaite mochte. Dass es genau genommen gut zu mir war. Kurz vor der letzten Kurve kehrte der Schrecken zurück, aber als ich weit und breit kein Polizeiauto sah, wusste ich, dass ich noch eine Weile ein freier Mensch sein durfte. Ich ging sofort in mein Zimmer und lag früh im Bett. Bevor ich davondriftete, wurde mir klar, dass solche Dinge eine Weile brauchen konnten. Jakes Mum hatte keine Ahnung, wer ich war, und er wusste nicht genau, wo ich wohnte. Wenn ich es mir recht überlegte, wusste er noch nicht mal meinen Nachnamen. Sie würden kommen, da war ich mir sicher, aber noch hatten sie mich nicht ausfindig gemacht.

22

Als bis Donnerstag nichts passiert war, verstand ich das Ganze nicht mehr. Ich wusste, die Kugel schoss durch die Luft, aber wann sie einschlagen würde, wusste ich nicht. In meinem Magen herrschte Chaos. Ich hatte vier Tage lang kaum etwas gegessen und fuhr beim geringsten Geräusch, bei der kleinsten Provokation zusammen. Jake kam nicht mehr in die Bibliothek, und weil ich es endlich hinter mich bringen wollte, schleppte ich mich zur Kugel. Ich postierte mich auf seinem Schulweg am Ende einer ruhigen Straße und wartete. Fast rechnete ich damit, dass er von Polizei flankiert nach Hause ging, über ihm Helikopter kreisend, aber er kam wie gewöhnlich allein die Straße entlang, die Hände an den Rucksackriemen und mit federndem Schritt. Er sah mich schon von weitem und wurde schneller. Ich freute mich sehr, dass mein Anblick ihn glücklich machte. Ich rief ihn. Er lief schnell, und ich musste Tempo zulegen, um mit ihm Schritt zu halten. Ich fragte, was die Polizei bei ihm gewollt hatte. Er kniff die Augen zusammen und sah aus, als versuchte er, sich an eine unglaublich lang zurückliegende Zeit zu erinnern. »Am Montag nach der Schule stand ein Polizeiauto vor eurem Haus«, erinnerte ich ihn. Jetzt fiel es ihm wieder ein, er nickte langsam.

»Sie kamen wegen des Vorfalls. Sie haben mir Fragen gestellt«, sagte er.

»Welcher Vorfall, Jake? Was wollten sie von dir wissen?«

»Ob ich irgendwas Ungewöhnliches gesehen habe.«

»Und was hast du ihnen gesagt?«

»Dass ich nichts gesehen habe.«

»Hat deine Mum die Polizei gerufen, Jake?«

Er schüttelte den Kopf. »Das war Mrs Clarkson von nebenan.«

»Und warum hat sie die Polizei gerufen?«

»Sie hat geweint. Die haben einen Haufen Zeug mitgenommen, aber sie sagt, es ging nicht ums Geld, sondern um die Sachen, die sie nicht mehr ersetzen kann, wie die Briefe von Mr Clarkson.«

»Ist bei ihr eingebrochen worden?«

»Ja. Sie sagt, ihr Zuhause fühlt sich nicht mehr sicher an. Sie war bei uns und hat geweint.«

»Deswegen war die Polizei bei euch?«

»Sie haben gefragt, was bei ihr fehlt«, sagte Jake.

Am liebsten hätte ich ihn umarmt.

»Hat deine Mum irgendwas gesagt, nachdem ich bei euch war? Hat sie gesagt, dass sie mich gesehen hat?«

Er schüttelte den Kopf.

»Sie hat am Sonntag also nichts zu dir gesagt?«

»Es ging ihr nicht gut«, sagte er. »Sie hatte Magenschmerzen und war den ganzen Tag in ihrem Zimmer. Am Abend haben wir dann zusammen ferngesehen.«

»Und sie hat nichts davon gesagt, dass jemand im Haus war?«

Er schüttelte wieder den Kopf. Sie war zu betrunken, um zu merken, dass ein Fremder die Nacht bei ihrem acht Jahre alten Sohn verbracht hatte. Die blöde Kuh. Ich begleitete ihn nicht weiter. Ich wollte es lieber nicht riskieren. Ich drehte mich um und ging nach Hause. Zum ersten Mal seit Tagen hatte ich Hunger.

23

Am nächsten Samstagmorgen beschloss ich, mit Mum in die Bibliothek zu gehen. Ich dachte mir, es wäre gut für uns, ein bisschen Zeit miteinander zu verbringen und Dinge zu tun, die wir früher getan hatten; Jake traf ich erst am Nachmittag auf dem Spielplatz. Ich wollte den Schaden der letzten Wochen wiedergutmachen oder es wenigstens versuchen. Aber ich tat das nicht nur aus reiner Freundlichkeit: Seit meiner betrunkenen Nacht hatte sie nicht mehr mit mir geredet, und es war wirklich hart, so zu leben, in noch größerem Schweigen als bisher. Ich hoffte also, mein Entgegenkommen könnte mir das Leben ein wenig erleichtern. Eigentlich rechnete ich mit einer unterkühlten Reaktion, aber sie nickte sofort, als ich ihr den gemeinsamen Bibliotheksbesuch vorschlug. Auf dem Weg durch die Stadt erfuhr ich, warum sie so scharf darauf war. Ich musste nachfragen, ob ich mich wirklich nicht verhört hatte, aber sie wiederholte es klar und deutlich: Ab zehn Uhr hatten wir eine halbe Stunde Internet gebucht. Die Zeit danach war kostenpflichtig, deshalb mussten wir schnell sein. »Du musst mir helfen, Donald«, sagte sie, »ich hab davon keine Ahnung.« Ich war schockiert, denn eigentlich hielt sie nichts von Computern, schon gar nicht in der Bibliothek. Einen Tag nachdem dort welche angeschafft worden waren, hatte sie einen Brief an die Stadt geschrieben und darauf hingewiesen, wie viele Bücher man stattdessen für das Geld hätte kaufen können und ob eine Bibliothek nicht eigentlich dafür gedacht wäre. Aber vor kurzem hatte sie eine Radiosendung über die Verletzung der Privatsphäre gehört, und an irgendeinem Punkt war das Internet angesprochen worden. »Angeblich haben sie jede Straße in jeder Stadt im Land gefilmt. Man kann alles auf dem Bildschirm sehen. Jede Straße, als wärst du dort.«

Meine Laune sank.

»Ich möchte das lieber nicht sehen«, sagte ich.

Sie schaute mich böse an.

»Tja, du musst es aber sehen, weil du mir helfen wirst. Das ist ja wohl das Mindeste, was du tun kannst. Außerdem kommen wir nicht in die Nähe der Hawthorne Road, sei also nicht albern. Ich möchte mir die Stadt ansehen.« Wir liefen schweigend weiter.

Ich wollte nicht nur Clifton unbedingt meiden, sondern auch das Internet. Schon beim Gedanken daran wurde mir unwohl. Nichts verflüchtigt sich, nichts wird in Ruhe gelassen oder darf verschwinden. Die Finger tippen wie verrückt und fügen immer mehr hinzu, machen es größer und größer, als würden sie Zweige für ein Lagerfeuer sammeln, das keiner jemals anzündet. Aber der eigentliche Grund ist die Gedenkseite für Oliver Thomas. Ich habe nur einmal nachgesehen, aber da war er und lächelte mich an. Oben auf der Seite sein Name, darunter vier Fotos aus seinem kurzen, glücklichen Leben. Unten stand: »Immer geliebt. Unvergessen.« Dann seine Lebensdaten, die Jahre so dicht zusammen, dass es einem das Herz brach. Wahrscheinlich gab es noch andere Seiten über ihn, Zeitungsartikel und solche Sachen, aber das weiß ich nicht, weil ich den Computer ausgeschaltet und seitdem nie wieder gesucht habe. Darum gehe ich nicht online. Ich weiß, ich könnte ihn in ein paar Sekunden finden – und ich traue meinen Fingern nicht.

In der Bibliothek machten wir es uns vor dem Computer bequem, Mum ließ mich die Sache in die Hand nehmen. Wenig später saß sie da, nach vorn gebeugt, mit der Hand vor dem Mund, während wir uns in Clifton entlang der

Moor Lane bewegten. »Halt«, sagte sie nach ein paar Sekunden. »Jackson's ist immer noch da, siehst du, noch genauso. Und da rechts, Nettletons Jewellers ebenfalls. Es hat sich nicht verändert.« Ihr Gesicht war nur Zentimeter vom Bildschirm entfernt, ihre Augen flitzten von Jackson's zu Nettletons und wieder zurück.

»Geh mal zur King Street«, sagte sie, und wir bogen um die Ecke und gingen langsam die King Street runter. Dann zeigte ich ihr, dass man sich zur Seite drehen und einzelne Geschäfte und Häuser ansehen kann. Sie schaute auf die Uhr, suchte in ihrem Geldbeutel nach einem Pfund und schickte mich los, um am Schalter zu zahlen. Als ich zurückkam, erklärte sie mir ihren Plan. Sie wollte das gesamte Stadtzentrum und die Häuser alter Freunde und Feinde sehen. Zuerst gingen wir zum Haus der Watsons an der Cross Lane: »Die haben ihre Garagentür immer noch nicht ersetzt!« Wir gingen zu den Fearnheads in der De Lacy Street: »Neue Vorhänge und neue Eingangstür.« Sie war fast außer sich, als wir auf die Rathbone Road bogen und die alte Mrs Armer auf der linken Bildschirmseite mit ihren Einkäufen entlanggehen sahen. Wir bewegten uns auf fast jeder Straße in Clifton hin und her. Da uns noch zehn Minuten blieben, zeigte ich ihr, wie die Maus funktionierte. Dann tippte ich die Adresse ein und ging nach draußen. Ein paar Minuten später kam sie heraus, mit feuchten Augen, ein bisschen zittrig wirkend. »Ja, also«, sagte sie, »das war eine Begegnung mit der Vergangenheit. Clifton, wie es leibt und lebt.« Sie war still auf dem Heimweg und still, als wir zu Hause waren. Sie meckerte noch nicht mal, als ich nach dem Essen sofort wieder wegging.

24

Jake war an diesem Nachmittag übel gelaunt. Er war bissig und mürrisch wie Mum an einem schlechten Tag. Wir gingen nicht zum Geisterhaus und verließen noch nicht mal den Spielplatz. Von Anfang an war er kurz davor zu weinen. Schließlich flossen die Tränen wirklich, als er stolperte, aber er weinte nicht wegen des Sturzes und wollte mir nicht sagen, was ihn so aufwühlte. Er war mir gegenüber kurz angebunden, wirkte so elend und wollte sich um nichts in der Welt helfen lassen. Ich wurde sauer. Anscheinend sah er nicht, dass andere Leute auch Probleme hatten. Anscheinend war ihm nicht klar, dass ich meine Samstagnachmittage nicht mit ihm verbringen musste und jede Menge andere Sachen machen könnte. Ich hatte meine Bücher, Mum hatte mich gebeten, den Schuppen mit Holzschutzmittel zu streichen, und ich konnte jederzeit losgehen und nachschauen, ob Fiona im Steinbruch war. Stattdessen war ich hier, kümmerte und bemühte mich um ihn. Ich versuchte, ihn aus seinem Stimmungstief herauszuholen, aber nichts funktionierte. Ich schlug ihm alles Mögliche vor, was wir tun könnten, aber er schüttelte immer wieder den Kopf. Irgendwann hatte ich die Nase voll und fragte ihn, ob er vielleicht nach Hause wollte, aber er meinte, seine Mutter bräuchte ein bisschen Ruhe, und so verbrachten wir einen unglücklichen Nachmittag im Wald hinter dem Spielplatz. Mehr als einmal dachte ich bei mir, dass ich schlechte Laune und Trübseligkeit ebenso gut zu Hause hätte haben können. Er fragte ständig, wie spät es sei, und als ich ihm sagte, es sei fünf, rannte er nach Hause zurück, nicht glücklicher als zuvor.

Als ich nach Hause kam, war Mum still. Sie dachte zweifellos noch an Clifton und alles, was sie dort zurückgelassen hatte. Ich verzog mich in mein Zimmer, um meinen eigenen Gedanken nachzuhängen. Irgendetwas stimmte nicht mit Jake. Während ich da auf dem Bett lag, wurde mir klar, dass er nicht nur aufgewühlt gewesen war – er hatte sich mir gegenüber auch anders verhalten. Kühl. Abweisend. Ständig hatte er sich davongeschlichen und mich gezwungen, ihn keine Sekunde aus den Augen zu lassen, damit ich ihn nicht verlor. Und irgendwann verlor ich ihn tatsächlich. Er hatte sich in den Wald geschlichen, und ich brauchte eine Weile, bis ich ihn hinter einem Baum sitzend fand. Je länger ich darüber nachdachte, umso klarer wurde mir, dass er genug von mir hatte – genau so verhielt er sich. Wie in der Schule, wenn die eigenen Freunde wollen, dass man weggeht, und sie sich gegenseitig Blicke zuwerfen und man selbst schnallt es erst, wenn man einen dieser Blicke sieht, und dann wird einem ganz übel. Mir drehte sich der Magen um bei dem Gedanken, dass Jake nicht mehr mein Freund sein wollte.

Als ich abends im Bett lag, dachte ich wieder darüber nach und beruhigte mich. Irgendetwas beschäftigte Jake, aber es musste nichts mit mir zu tun haben. Vielleicht stimmte zu Hause oder in der Schule etwas nicht und deswegen war er knatschig gewesen. Er war ein sensibler Junge, der es nicht leicht hatte, deshalb musste ich der Erwachsene sein und sollte mich nicht wegen nichts aufregen. Wenn ich herausfinden könnte, wo das Problem lag, konnte ich wahrscheinlich helfen.

Am Montag schaffte ich es, zur Mittagspause an der Schule zu sein. Ich hielt mich zurück und wartete. Ich wollte sehen, wie es ihm ging oder ob er immer noch traurig war. Schließlich stürmte er durch die rote Tür, gefolgt von Harry, und sie rannten zu ihrem Baum in der Ecke, hüpften herum und lachten und schienen sich köstlich zu amüsieren. Seine

Traurigkeit war verflogen. Als Harry ihm etwas ins Ohr flüsterte, lachte Jake sich kaputt, als hätte er eben den komischsten Witz der Welt gehört. Harry legte den Arm um ihn, zog ihn zu sich und flüsterte noch etwas, woraufhin Jake noch herzhafter lachte. Der dämliche kleine Harry brachte ihn zum Lachen. Der blöde glotzäugige Rotschopf, der ihn wegen der Fußballclique im Stich gelassen hatte, brachte ihn dazu, sich halb totzulachen. Ich wollte nicht wütend auf Jake sein, war es aber trotzdem. Ich kümmerte mich um ihn, widmete ihm Zeit, richtete das Haus her und achtete darauf, dass er nachts keine Angst hatte – und jetzt langweilte ihn das alles. Wahrscheinlich lachte er mit Harry sogar darüber. Lachte über den dummen alten Donald, der keine Freunde hatte.

Ich ging nicht mehr in die Schule zurück, sondern nach Hause und setzte mich in mein Zimmer. In der Flasche neben dem Stuhl war noch etwas Gin, und in der Tüte auf dem Boden waren noch ein paar Bierdosen. Ich war in jener Nacht so betrunken gewesen, dass ich geglaubt hatte, nichts sei mehr übrig, aber es war genug da, um es noch mal zu probieren. Ich wollte meinen Verstand allerdings nicht benebeln. Ich wollte klarsehen und verstehen können, was da vor sich ging. Ich fing von vorne an und ging im Kopf alles langsam durch. Und dann begriff ich allmählich. Am Anfang hatte Jake sich mit mir wohlgefühlt. Er hatte sich über die Aufmerksamkeit und die Geschichten und das Haus gefreut. Als Harry ihn dann abservierte und seine Mutter sich nicht darum scherte und ich mich um ihn kümmerte, war er auch damit zufrieden. Aber seit Harry von den beliebten Jungs abgewiesen und zurückgekommen war, hatte sich etwas verändert. Erinnerungen hüpften in meinem Kopf herum wie Flöhe. An dem Abend, an dem ich bei ihm geblieben war, hatte er vor meiner Ankunft die Hintertür zugeschlossen. Ich hatte ihm am Nachmittag fünfmal gesagt, er solle sie offen lassen oder sie aufsperren, falls seine Mum sie abschloss. Er war vielleicht jung, aber nicht dumm. Und an dem Tag, an dem ich ihn abgepasst hatte, um zu fragen, ob seine Mum einen Fremden in der Küche erwähnt hatte, war er schneller geworden, als er mich sah – und ich hatte gedacht, er würde sich freuen und mir entgegeneilen. Jetzt begriff ich, dass er eigentlich hatte weglaufen wollen. Als er im Wald verschwunden war und ich ihn am Fuß eines Baums sitzend gefunden hatte, war er nicht einfach nur davongeschlendert, er hatte sich vor mir versteckt. Im selben Moment durchschaute ich, verstand ich, was vor sich ging. Harry wusste von mir und dem Geisterhaus, und Harry hatte es vergiftet. Harry war schuld. Ich war mir ganz sicher.

Meine Wut wurde im Laufe der Woche noch größer. Sie begann wie eine Faust in meiner Brust zu hämmern und breitete sich dann in meinem Blut aus und ging nicht mehr weg. Ich dachte, mit Jake hätte ich etwas Reines gefunden. Ich dachte, es wäre etwas Ehrliches und Gutes. Ein kleiner Junge, der jemanden brauchte, und dieser Jemand konnte ich sein. Ich wusste, das änderte nichts an dem Vorfall in Clifton, aber darum ging es nicht, ich dachte, ich änderte etwas für Jake, ich täte etwas Gutes, etwas Freundliches. Außerdem mochte ich ihn. Er war lustig. Er tat mir gut. Aber jetzt war es schiefgelaufen. Am Samstag würde ich mich nicht mit ihm abgeben. Ich würde in die Berge fahren, steile Hänge hoch- und runterklettern, bis ich vor Erschöpfung umkippte. Ich hatte wirklich vor, in den Bus zu steigen und aufs Land zu fahren, doch stattdessen war ich wieder am Spielplatz und wartete auf ihn. Ich wartete nicht wie gewöhnlich auf der Bank, sondern stand am Waldrand, am Fuß des

Spielplatzes. Ich hatte Glück – seine Mum wollte offenbar wieder mit ihrem neuen Mann allein sein, denn er tauchte auf, streckte am Eingang den Kopf um die Büsche. Als er sah, dass die Luft rein war, schlenderte er zum Klettergerüst. Am liebsten wäre ich auf der Stelle zu ihm gegangen, aber ein Pärchen spielte mit zwei Kindern an der Rutsche, deshalb hielt ich mich zurück. Ich wollte keine Szene provozieren, falls Jake weglief. Zum Glück stieß sich ein Kind den Kopf an und hörte nicht auf zu schreien, sodass die Familie zusammenpackte und ging.

Jake saß oben auf dem Klettergerüst. Er wirkte genervt, als er mich sah, als wäre ich ein kleines Kind und er die erschöpfte Mutter.

»Ist alles in Ordnung, Jake?«, fragte ich ihn.

»Ja«, sagte er.

»Möchtest du was machen?«

Er zuckte die Schultern. »Ich wollte gleich nach Hause gehen.«

»Du bist doch eben erst gekommen.«

Er zuckte wieder die Schultern.

»Schade«, sagte ich. »Weil ich dir nämlich erzählen wollte, was im Geisterhaus passiert ist.«

»Klar.«

Er war nicht interessiert.

»Letzte Woche war ich allein dort, in unserem Zimmer, und ich hab sie gesehen. Direkt vor mir. Die Geisterfrau.«

Er spielte immer noch den Gelangweilten, aber ich war mir sicher, dass er zumindest leicht interessiert war. Ich schwieg und wartete, dass er reagierte. Er musste sich schon ein bisschen bemühen.

Er versuchte skeptisch zu klingen.

»Du hast sie nicht gesehen.«

»Doch. Sie ist mit gesenktem Blick ins Zimmer gekommen und stehen geblieben, dann ist sie auf die Knie gefallen und hat einen Schrei ausgestoßen. Ich bekam solche Angst, dass ich aus dem Zimmer und die Treppe runtergerannt bin.«

»Du hast sie *wirklich* gesehen?«

»Direkt vor mir.«

»Hat sie dich gesehen?«

»Sie hat sich nicht für mich interessiert. Sie ist auf den Boden gefallen und hat angefangen zu jammern.«

»Wahrscheinlich an der Stelle, wo sie erschossen wurde.«

»Sie war tatsächlich in der Ecke, in der die Kugel durch den Boden gedrungen ist.«

»Und du hattest Angst?«

»Entsetzliche Angst, Jake. Wegen ihrem Geheule. Die Töne, die aus ihrem Mund kamen, waren schrecklich. So was hab ich noch nie gehört. Du hättest auch Angst gehabt.«

»Ich hätte keine Angst gehabt.«

Jetzt schaute ich ihn skeptisch an.

»Bist du noch mal dort gewesen? Hast du sie wiedergesehen?«, fragte er.

»Ich geh da nicht mehr hin.«

Ein zerbrechliches Schweigen hing zwischen uns. Dann endlich:

»Soll ich mitkommen?«

»Du dürftest nicht schreien, wir wissen nicht, was sie tun würde, wenn sie uns schreien hört, wenn wir die Aufmerksamkeit auf uns ziehen.«

»Ist schon gut«, sagte Jake. »Ich bin kein Baby, ich schrei nicht.«

Wir gingen aus dem Park und direkt zum Geisterhaus. Ich versuchte mit ihm zu plaudern, aber er hatte keine Lust.

Er wollte nur zu dem Haus und sehen, ob ein Geist dort war, und wenn nicht, wieder gehen. Ich hegte die Hoffnung, dass er sich – hätte ich ihn erst mal in unserem Zimmer – an den Spaß erinnerte, den wir dort gehabt hatten, und es dann wieder so wie früher wäre, als er sich auf unsere Treffen gefreut hatte, ganz am Anfang.

Es war ein grauer Tag, dunkel wie im Dezember. Das Haus lag zurückgesetzt unter den Bäumen und sah unheimlicher aus denn je. Zum ersten Mal seit Tagen spürte ich Zuversicht.

»Wir waren schon einige Zeit nicht mehr hier, nicht wahr, Jake?«, sagte ich, so freundlich ich konnte. Er sagte nichts. Er ging vor mir ins Haus. Innen war es noch dunkler als sonst. Jake kümmerte das nicht. Er schritt durch Schatten, ein kleiner Mann ohne Angst. Bevor er in unser Zimmer trat, blieb er allerdings stehen, ganz kurz, doch um das zu registrieren, musste man ihn genau beobachten. Er lief in die Mitte des Zimmers, suchte die vier Ecken ab, hielt Ausschau nach einem Geist, den es nicht gab, und drehte sich zu mir, in Erwartung einer Erklärung.

»Wir müssen ihr eine Chance geben«, sagte ich. »Sie taucht nicht einfach auf, nur weil wir es wollen.«

Er sah sich wieder im Zimmer um.

»Ich glaube nicht, dass du sie gesehen hast«, sagte er.

»Warum setzt du dich nicht eine Weile auf deinen Stuhl, und wir lassen ihr etwas Zeit? Ich hab ein paar Bücher dabei«, sagte ich, »damit können wir uns die Zeit vertreiben.«

»Ich lese keine Bücher mehr.«

»Du liest nicht mehr? Sei nicht albern, Jake.«

»Nein. Bücher langweilen mich.«

Ich holte sie trotzdem aus meinem Rucksack. So hatte ich wenigstens etwas zu tun. Mir gefiel sein Verhalten nicht.

Er reagierte hochnäsig und dumm, wie die Idioten in der Schule.

»Ich glaube nicht, dass es hier spukt«, sagte er. »Ich glaube, du lügst. Ich glaube, du hast alles erfunden, um mich hierherzulocken.«

Er schaute mich unverwandt an und sagte: »Ich glaube, du bist krank.«

Wir starrten uns an.

Er sammelte sich.

»Harry sagt, du bist wahrscheinlich einer von den bösen Männern.«

Das Haus war still, seine Worte saugten jeden Ton auf. Ich trat einen Schritt auf ihn zu, und sofort machte sich Panik auf seinem Gesicht breit. Er rannte an mir vorbei zur Tür und war schon halb die Treppe runter, bevor ich mich an seine Fersen heftete.

Ich war langsam. Meine Beine waren zittrig und kalt, nutzlos wie Wasser. Als ich durch die Hintertür in den Garten kam, war er schon fort. Ich rannte zu der Mauer am Fuß des Gartens und sah ihn – sein blauer Pullover verriet ihn – drüben im Steinbruch, er rannte immer noch schnell. Auf und ab lief er, auf und ab über die steilen kleinen Hügel. Ich rannte in den Steinbruch und stellte mich auf den höchsten Hügel, den ich finden konnte. Ich rief, er solle nicht albern sein und zurückkommen. Die einzige Antwort war meine Stimme, die von der hohen Steinbruchwand widerhallte. Dann sah ich ihn wieder. Der blaue Pullover war genauso nützlich wie ein Blinklicht. Ich rannte hinter ihm her.

Er hatte sich in einem Busch versteckt. Ich war vernünftig und stürmte nicht hinein. Ich wartete draußen und überredete ihn herauszukommen. Ich sagte ihm, er sei albern, ich würde ihm nie wehtun und sei enttäuscht, dass er das überhaupt denken konnte. Als er darauf nicht antwortete und auch nicht erschien, sagte ich, ich könnte den ganzen Tag warten, notfalls die ganze Nacht. Er überraschte mich. Er stürmte aus dem Gebüsch, trat mir ans Schienbein und lief schnell davon. Er traf mich direkt am Knochen, und der Schmerz brachte mich zu Fall. Aber diesmal erholte ich mich schneller, und ein paar Sekunden später stolperte ich hinkend hinter ihm her. Auf einem der vielen Pfade, hinter einem der kleinen Hügel, verlor ich ihn wieder. Ich lief zurück auf die Hügelspitze, schaute, ob ich ihn irgendwo entdeckte. Ich rief seinen Namen und erhielt wieder keine Antwort. Allmählich überkam mich Panik. Ich hatte ihn noch nie so entschlossen erlebt. Ich suchte immer wieder den Steinbruch ab, aber weit und breit keine Spur von ihm. Als ich ihn endlich entdeckte, verschlug es mir den Atem. Er hing ungefähr drei Meter über dem Boden und arbeitete sich die nördliche Steinbruchwand hoch. Er kletterte wie eine Spinne, wollte unbedingt entkommen.

Es dauerte keine Minute, bis ich bei ihm war. Ich forderte ihn auf runterzukommen. Er gab keine Antwort. Er konzentrierte sich zu sehr, plante seinen Weg. Er war ein geschickter Kletterer, er schlug sich gut, aber dies war kein Baum in einem Garten, er würde es nie bis nach oben schaffen. Ich rief weiter, er solle zurückkommen, er müsse umkehren, aber er antwortete nicht und kletterte unaufhaltsam nach oben. Was mir entsetzliche Angst machte, war die Tatsache, dass er keine Ahnung hatte, wie leicht er bei einem Absturz am Boden zerschmettern könnte. Er war zu jung, um zu wissen, dass er wie ein Ei zerbrechen würde, wenn er ausrutschte und in den Steinbruch fiel. Als ich Jake dort oben sah, konnte ich nur an Oliver Thomas denken, der schon im Sterben gelegen hatte, als ich ihn zurückließ. Dieser Gedanke veranlasste mich, Jake zu folgen. Ich war erst anderthalb Meter über dem Boden, als er nach unten blickte und mich kommen sah. Er war verängstigt und kletterte noch schneller, rutschte beinahe aus und gab einen Schrei von sich. Ich ließ die Wand los und sprang wieder nach unten.

»Ich komme nicht, Jake«, rief ich. »Ich komme nicht hoch. Du musst vorsichtig sein und langsamer klettern.«

Aber er bewegte sich jetzt gar nicht mehr. Sein linkes Bein ragte komisch nach außen, seine Hände waren hoch über dem Kopf. Ich hörte ihn weinen.

»Ich stecke fest!«, rief er.

»Ich rutsche aus!«, rief er.

»Jake, ich komme jetzt. Du rutschst nicht aus. Bleib, wo du bist, beweg dich nicht. Schau nur die Wand vor dir an.« Er sah nach unten und schrie wieder. In seiner erstickten Stimme lag die pure Angst. Ich stürzte mich auf die Wand und kletterte, so schnell ich konnte, rief zu ihm hoch und versuchte ihn zu beruhigen. Ich würde ihn erreichen, ihn sicher nach unten bringen, und er würde sehen, dass ich ein guter Mensch war, der immer nur helfen wollte. Vielleicht wäre dann alles wieder besser.

»Jake, schau einfach die Wand vor dir an. Starre auf die Wand und halt dich fest.«

»Mir ist schwindelig!«, rief er. »Mir ist schwindelig. Ich rutsche aus. Ich falle gleich runter! Ehrlich!«

Er schrie wieder. Ich bewegte mich, so schnell ich konnte, kraxelte, kletterte, zog mich hoch. Links über mir sah ich seine Schuhsohlen. Noch drei Züge, und ich wäre neben ihm. Dann kam wieder ein Schrei. Er stürzte. Fiel im nächsten Moment an mir vorbei, schlug weiter unten gegen die Steinbruchwand, prallte ab und kam seitlings auf dem

Boden auf. Er klang nicht wie ein zerbrechendes Ei. Er landete mit einem dumpfen Schlag.

Ich wartete, bis die Sanitäter kamen. Ich musste ihn allein lassen, um zu telefonieren, danach rannte ich zurück und blieb bei ihm. Wir hielten uns an den Händen. Er versuchte sich aufzusetzen, schrie aber vor Schmerz und übergab sich. In seinem Erbrochenen war Blut. Er sah zehnmal schlimmer aus als Oliver Thomas damals. Ich zwang ihn still zu liegen. Ich stand immer wieder auf, um zu sehen, ob endlich Hilfe kam, aber sobald ich aufstand, fing er zu weinen an, und ich musste schnell wieder zu ihm zurück. Schließlich hörte ich sie, Stimmen, die nach uns riefen, und ich brüllte, so laut ich konnte: »Wir sind hier! Wir sind hier! Wir sind hier!« Aber als ich es das letzte Mal rief, war ich schon nicht mehr da und rannte davon, darum bemüht, Jakes Weinen nicht zu hören. Das Letzte, was ich noch sah, war Jake, der mit erhobenem Kopf nach mir Ausschau hielt, und das Blut im Dreck auf dem Boden. Im selben Moment wusste ich, dass ich die ganze Zeit recht gehabt hatte: Wenn etwas Schreckliches passiert, bleibt ein Beweis zurück.

25

Ich kaufte eine Fahrkarte und stieg in den Bus. An die Fahrt erinnere ich mich nicht mehr. Ich kam zu mir, als wir auf einen dunklen Platz einbogen, der Fahrer den Motor abstellte und der Bus ratternd verstummte. Zusammen mit allen anderen stieg ich aus und folgte ihnen aus dem Busbahnhof ins Tageslicht. Von Fotos und Fernsehausschnitten wusste ich, wo ich mich befand, aber ich war noch nie zuvor dort, noch nie in einer Großstadt gewesen. Ich ging an Geschäften und gläsernen Fassaden und alten Hochhäusern vorbei. Überall waren Leute. Nicht wie in Clifton oder in Raithswaite. Es war von allem zu viel da, und ich ging zurück zum Busbahnhof. Eine Haltebucht nach der anderen, Schilder mit Buchstaben und Zahlen, aus denen ich nicht schlau wurde. Ich fragte einen Mann in einer fluoreszierenden Weste, welcher Bus nach Clifton fuhr, und er sagte: »Lies die Tafel, Junge, lies die Tafel«, und zeigte auf einen riesigen, in den Asphalt eingelassenen Fahrplan aus Plexiglas. Ich stand davor, und sämtliche Zahlen, Zeiten und Zielorte verschmolzen miteinander wie ein wimmelnder Mückenschwarm. Ich dachte kurz, ich würde gleich ohnmächtig.

»Haltebucht D, junger Mann. Immer zwanzig nach.«

Ich sah eine Frau mittleren Alters. Ich verstand nicht, was sie zu mir sagte. »Clifton, junger Mann.« Sie zeigte an mir vorbei und sagte: »Haltebucht D. Immer zwanzig nach.«

»Vielen Dank«, sagte ich. »Danke.« Ich weiß nicht, was in meinem Gesicht los war, aber sie streckte ihre Hand aus, legte sie mir auf den Arm und sagte: »Immer zwanzig nach, junger Mann«, und zupfte mich am Ärmel, bevor sie zurückging, um auf ihren Bus zu warten.

Nach einer Stunde Fahrt sah ich eine mit Efeu bewachsene Brücke über einer Bahnlinie, eine kaputte Scheune auf einem Feld, einen Fahrradladen am Ende einer Häuserreihe. Diese Dinge gehörten zu einer Zeit, die nicht mehr ganz existierte und nur vage Erinnerungen auslöste. Allmählich wirkten Häuser und Straßen vertrauter, mir wurde klar, wo ich war, und schließlich hielt der Bus im Zentrum von Clifton. Ich stieg aus und lief in Richtung Kemple Street. Ich wollte mich dem Haus aus derselben Richtung nähern wie an dem Morgen, als es passierte. Oben an der Kemple Street sah ich den Pfad, der zur Hawthorne Road führt. Er wirkte genauso wie immer, Unkraut und Gras, Schlaglöcher und grauer Kies. Ich verließ den Pfad und trat wieder in meine Kindheit, sie lag vor mir, als hätte sie auf mich gewartet. Ich ging den Hügel hinunter. Ich kam bei den Dawsons vorbei, bei den Jacksons, der alten Mrs Armer – einige Häuser hatten sich verändert, manche überhaupt nicht. Angeblich schrumpft alles mit dem Alter. Hier war nichts geschrumpft. Alles so wie früher. Dann war ich dort: Nummer fünfundsiebzig. Sie hatten ein Zimmer über die Garage gebaut. Vermutlich ein Gästezimmer oder ein Büro, vielleicht ein Spielzimmer. Leute besaßen so was. Türen und Fenster waren neu, aber man erkannte es trotzdem, es war noch unser Haus. Ich wandte mich ab und ging weiter. Das Haus von Mrs Franklin, den Seedalls, von Mr Mole, Mr Taylor. Weiter unten Häuser, deren Bewohner ich nicht gekannt hatte, manche noch nicht mal vom Sehen. Die Nummern wurden jetzt niedriger, meine Schritte langsamer. Und dann schließlich neun, sieben und fünf. Bei Nummer neun fing ich an, mich umzusehen. Nur für den Fall. Mit gesenktem Blick und starrend. Komm schon, redete ich mir zu, jetzt komm schon, zeig es mir, zeig es mir. Ich ging auf und ab, auf und ab, doch mein achtjähriges Ich hatte recht. Nirgendwo ein Tropfen Blut.

26

Im Laufe der Jahre sind zwei Erinnerungen aufgekeimt, haben sich geformt und verschärft. Beide so real und getrennt voneinander wie meine zwei Hände. In beiden Erinnerungen fahre ich Fahrrad, das bleibt gleich, ich auf dem Fahrrad. Inzwischen hatte ich es fast ein Jahr und konnte immer noch nicht glauben, dass es mir gehörte. In der ersten Erinnerung war es ein früher Samstagmorgen, und ich fuhr auf dem Brachland hinter unserem Haus herum, aber jedes Mal wenn ich an der Garage vorbeikam, wo die Sache mit der kleinen Katze passiert war, hatte ich ein derart schlechtes Gewissen, dass ich nach vorn auf die Hawthorne Road fuhr. Dort machte es nicht so viel Spaß, weil es weniger Dellen und weniger Platz gab, dafür jedoch keine schlechten Erinnerungen. Ich durfte immer nur bis Nummer fünfundsechzig fahren, weil Mum mich vom vorderen Fenster nur bis dahin sehen konnte, und sie kannte Mr Taylor, der dort wohnte. Nach seinem Haus fällt der Hügel richtig steil ab und man legt ordentlich Geschwindigkeit zu. Da ich Nummer fünfundsechzig schon mehrmals hinter mir gelassen hatte und den steilen Hang hinuntergerast war, hatte ich nicht mehr das Gefühl, eine Regel zu brechen. Ich wurde auch zunehmend schneller. Und mutiger. Als die Lenkstange anfing zu wackeln, umklammerte ich sie nicht etwa fester und zog die Bremse, sondern lockerte meinen Griff, fuhr über die Dellen, ließ die Stöße und Erschütterungen meine Arme hinauf bis in die Ellbogen fließen. Ich schaute auf die Uhr, ich musste erst in zehn Minuten zurück sein. Genug Zeit für eine weitere richtig gute Fahrt, die ich zum ersten Mal allein bis zum Fuß der Hawthorne Road auskosten wollte. Ich stellte mir vor, das könnte ich locker in zehn Minuten schaffen und zurück sein, bevor ich Ärger bekam.

Ich startete vor unserem Haus und trat bis Nummer fünfundsechzig fest in die Pedale, danach fuhr ich eine Weile im Leerlauf, denn mit der Radgeschwindigkeit konnte man ohnehin nicht mithalten. Bei Nummer siebenunddreißig wurde ich etwas langsamer, weil der Gehweg eine Linkskurve macht, in die man nicht mit Volldampf fahren kann, sonst landet man auf der Straße. Nach der siebenunddreißig wird die Straße wieder gerade, und wenn man ordentlich in die Pedale tritt, gewinnt man in null Komma nichts wieder Tempo. Ich hatte noch nicht die volle Geschwindigkeit, als ich mit ihm zusammenstieß. Wahrscheinlich etwa achtzig Prozent. Ich näherte mich der Hauptstraße, darum hatte ich vermutlich leicht abgebremst, nicht viel, nur ein bisschen. Ich fuhr trotzdem noch schnell. Plötzlich tauchte aus einer Pforte links ein blonder Haarschopf auf, er war fast schon unter den Rädern, und dann hielt ich die Lenkstange nicht mehr in der Hand, ich purzelte durch die Luft. Der Straßenbelag war der Himmel. Der Himmel war die Straße. Ich landete hart, zusammengefaltet wie ein Stück Papier. Ich hatte Schmerzen und war verwirrt. Ich bewegte verschiedene Körperteile, aber nichts brannte vor Schmerz, nichts war gebrochen. Ich stand auf. Ich schaute zur anderen Straßenseite – die imposanten Häuser mit den Stufen, die hinauf zu den breiten Haustüren führten, wackelten vor mir. Ich drehte mich um, wollte sehen, was passiert war, aber ich war benebelt und drehte mich in die falsche Richtung – ich schaute auf das untere Ende der Straße. Schließlich drehte ich mich zur richtigen Seite und sah ihn daliegen. Blondes Haar. Ein dunkelblauer Overall. Rosa Füße. Keine Schuhe. Mein Fahrrad neben ihm. Ich rannte zurück, kniete mich vor ihn hin und strich ihm die Haare aus den Augen. Seine Augen waren offen. Er sah seltsam aus. Sehr nachdenklich. Ich hob ihn hoch. Ich stellte ihn auf die Füße, er fiel vorwärts gegen meine Beine und schlang die Arme um meine Knie. Er weinte nicht. Ich ging vor ihm in die Hocke, und er versuchte mein Gesicht zu umarmen. Ich umarmte ihn ebenfalls. »Ist alles in Ordnung mit dir? Ist alles gut? Ist alles in Ordnung mit dir?«, sagte ich immer wieder zu ihm und schaute nach, ob er irgendwas hatte. Ich hielt ihn auf Abstand, um ihn mir richtig anzusehen. Er legte seine Hand auf meine Nase, als wäre sie ein Knopf, den er drücken wollte. Ich umarmte ihn noch mal, nahm ihn an die Hand und führte ihn zu der offenen Pforte. Er umklammerte fest meine Hand. Auf dem Weg zum Haus stolperte er einmal und keuchte, als hätte er Asthma, aber alles schien zu funktionieren. Er hatte keine Schnittwunden oder blauen Flecken, jedenfalls keine sichtbaren. Seine Hand war sehr warm. Im Gehen plapperte ich auf ihn ein: »Bist du verletzt? Meine Güte, ich hab dich ganz schön erwischt, oder? Hast du gesehen, wie ich durch die Luft geflogen bin?« Die Haustür stand offen. Eine rote Tür mit einem silberfarbenen Briefkasten. Ich wollte gerade klopfen, als ich das Geschrei hörte. Die beiden waren oben und voll dabei. Wütend wie Mum an einem schlimmen Tag. Es fielen Worte, die ich noch nie gehört hatte, Worte, von denen ich unwillkürlich ahnte, dass sie sehr, sehr schlimm waren. Sie tobten. Ich hielt die Hand hoch, um zu klopfen, wartete auf eine Pause, aber sobald einer fertig war, fing der andere an, und dann legten beide zusammen los. Als es schließlich still wurde, klopfte ich schnell, bevor die Frau losschrie, als hätte man ihr etwas aus dem Leib gerissen; danach konnte ich nicht mehr klopfen. Inzwischen war er schlaffer geworden und lehnte sich an meine Beine, deshalb drehte ich ihn um und setzte ihn an die Wand neben der Haustür. Ich kniete mich vor ihm hin und hielt seine Hände. Er lächelte mir zu. »Tut mir leid«, sagte ich. Er lächelte wieder, und sein Kopf fiel zur Seite, seine Augen schlossen sich, aber er lächelte weiter. Dann hörte ich jemanden die Treppe heruntertrampeln. Ich hatte entsetzliche Angst. Ich drehte mich um und rannte los. Ich erreichte mein Fahrrad und stieg auf. Der Lenker war schief, aber ich konnte noch fahren. Ich trat fest in die Pedale und fuhr wieder den Hügel hoch, wollte zu Hause zu sein, bevor Mum entdeckte, dass ich weiter als Nummer fünfundsechzig gefahren war.

Die andere Erinnerung ist genauso klar. Ich wachte auf und wollte malen. Nach dem Frühstück sammelte ich meine Sachen zusammen und machte es mir am Küchentisch bequem. Ich breitete eine alte Zeitung aus, wie es von mir erwartet wurde, und fing an zu arbeiten. Ich beugte mich vor, um den Pinsel im Wasser auszuwaschen, aber ich musste mich weit vorstrecken, und ich war ungeschickt. Ich stieß das Glas um. Ich wollte es schnell saubermachen, aber Mum hatte den Krach gehört und kam aus dem Wohnzimmer gestürmt. Ich hatte es nicht bemerkt, doch sie sah es sofort – das schmutzige Wasser hatte ihren Geldbeutel erreicht. Als sie ihn aufhob, tropfte Wasser herunter. Sie schmiss ihn auf den Tisch, machte drei schnelle Schritte und schlug mich mitten ins Gesicht. Sie schrie, ich solle rausgehen, und fing dann an zu weinen. Warum weint eigentlich *sie*?, dachte ich. Meine Wange pulsierte. Ich spürte, wie die schmerzende Haut anschwoll und schwer wurde. »Raus! Raus! Raus!«, schrie sie, als ich mich nicht schnell genug bewegte. Ich ließ das Chaos auf dem Küchentisch zurück und stolperte durch die Hintertür hinaus. Ich holte mein Fahrrad aus dem Garten und fuhr zittrig los. Die Luft streifte meine Wange und kühlte die

Haut. Ich war schockiert und fuhr langsam und wackelig, ohne Ziel vor Augen. So hatte sie mich noch nie geschlagen, und es dauerte eine Weile, bis ich wieder klar denken konnte. Als der Schock nachließ, kam langsam die Wut durch und ich fuhr an der fünfundsechzig vorbei – froh darüber, ihre Regel zu brechen. Ich hatte doch nur ein Glas Wasser umgestoßen, ihr Geldbeutel war ja nicht *ruiniert*, er würde wieder trocknen. Warum hatte sie mich so fest geschlagen? Warum weinte *sie*? Ich fuhr die Hawthorne Road hinunter und trat nicht sehr schnell in die Pedale, aber der Hang trug mich fort, ich legte Tempo zu. Jetzt spürte ich die Wut in den Beinen, ich fing an zu treten. Meine Wange brannte wieder, die Beine taten mir weh, ich flog. Ließ die bescheuerte Frau hinter mir. Während ich dahinsauste, sah ich ihn aus der Pforte mitten auf die Straße treten. Und anstatt zu bremsen und anzuhalten, trat ich weiter in die Pedale – schnell, schnell, schnell – und stieß mit ihm zusammen. Ich hielt mich nicht lange bei ihm auf. Ich schaute ihn kurz an, sah nirgendwo Blut, sprang wieder auf mein Rad und war in wenigen Sekunden weg.

27

Irgendwo in diesen beiden Varianten liegt die Wahrheit, aber ich kann sie nicht finden. Ich war acht, als es passierte, und ich habe so oft darüber nachgedacht, mir alles immer und immer wieder vorgestellt, aber ich dringe einfach nicht zur Wahrheit des Geschehenen durch. Ich weiß, was hinterher passiert ist, in allen Einzelheiten. Seine Mum fand ihn. Ihr fiel auf, dass die Haustür offen stand, sie dachte an Oliver, rannte hinaus und sah ihn ans Haus gelehnt dasitzen. Er wollte aufstehen, als er sie sah, und im selben Moment brach er zusammen. Der Krankenwagen kam anscheinend ohne Sirene. Ich hörte ihn nicht, und Mum auch nicht, aber das war verständlich: So früh am Samstagmorgen war auf den Straßen von Clifton nicht viel Verkehr. Man sagte mir nicht, wann er starb. Ich weiß nicht, ob im Krankenwagen, im Krankenhaus, oder ob er schon tot war, als ich die Hawthorne Road erst halb rauf war. Sie sagten mir nur, er habe innere Blutungen gehabt. Ich hatte ihn so schwer getroffen, dass er die inneren Verletzungen nicht überlebte. Das schockierte mich. In beiden Erinnerungen war ich es, der in einen winzigen Berg, in einen kleinen harten Felsbrocken gefahren war, und ich war durch die Luft geflogen, meine Lenkstange war verdreht. Etwas, das außen so fest war, sollte innen nicht so leicht zerbrechen. Es war ein katastrophaler Konstruktionsfehler. Und wenn die inneren Verletzungen so schwer waren, wie konnten sie dann nicht nach außen dringen? Wie konnte alles innen bleiben? Wie kann ein stämmiger kleiner zweijähriger Junge so leicht sterben? So sauber?

Acht Jahre später war ich der Antwort nicht näher gekommen. Ich schaute wieder auf den Boden, aber da war immer noch kein Blut. Immer noch kein Beweis, dass es jemals geschehen war. Ich merkte, dass mich in Olivers Nachbarhaus jemand aus dem Fenster beobachtete, und kam wieder zu mir. Ich wusste nicht, wie lange ich schon dastand. Langsam schlenderte ich wieder die Hawthorne Road hoch, vorbei am Knick in der Straße, das steile Stück hinauf, die Hausnummern kletterten die Fünfziger und Sechziger aufwärts. Ich dachte nicht darüber nach, was ich als Nächstes tun sollte. Ich dachte an gar nichts. Ich näherte mich unserem alten Haus, und als ich aufblickte, sah ich ihn an seiner grünen Holzpforte lehnen, er beobachtete mich, seine dicken, schweren Hände baumelten an der Seite. Im Näherkommen wurde mir klar, dass es Mr Mole war. Ich konnte nicht glauben, dass er noch lebte; er war mir schon früher so alt vorgekommen, aber da war er und sah keinen Tag älter aus als damals. Ich blieb stehen. Wir sahen uns an, und er sagte: »Der kleine Donald Bailey, richtig? Aus Nummer fünfundsiebzig.«

Ich blickte auf ihn runter, und er lächelte zu mir hoch und sagte: »Von wegen klein!«

Das Haus hatte sich nicht verändert. Vielleicht war der Teppich ein anderer, ich war mir nicht sicher. Mir fiel ein, dass er jedes Jahr ein Zimmer renovierte, aber er veränderte nie die Farben, deshalb sah nichts sehr alt, aber auch nicht wirklich neu aus.

Wir setzten uns in sein Wohnzimmer und tranken Tee.

Ich sah mich um. »Kein Scruffy?«, fragte ich.

Er schüttelte den Kopf. »Er starb, kurz nachdem ihr weg wart«, sagte er. »Ich überlege ständig, mir wieder einen anzuschaffen, aber ich kann mich nicht recht überwinden.«

Er blies in seinen Tee.

»Wie geht es deiner Mutter?«, fragte er.

»Es geht ihr gut.«

»Sag ihr, ich lass sie grüßen.«

Die Uhr im Flur schlug, eine Wolke verdeckte die Sonne, das Zimmer wurde dunkel.

»Weiß sie, dass du hier bist?«, fragte er.

Ich schüttelte den Kopf.

»Dachte ich mir.«

Er schüttelte ebenfalls den Kopf.

»Ich fand es immer schade«, sagte er, »dass sie dich so abrupt rausgerissen hat. Ich konnte es verstehen, aber ich fand es nicht richtig.«

Ich schaute auf den Fußboden. Nach acht Jahren war ich endlich bei jemandem, der von allem wusste, jemandem, der wahrscheinlich gern darüber redete, und ich konnte kein Wort sagen, wollte es acht Jahre weit weg von mir halten.

»Sag mal, Donald, wie alt bist du jetzt?« Er legte den Kopf zur Seite, schloss die Augen und rechnete eine Weile.

»Fünfzehn?«

»Sechzehn.«

»Sechzehn! Und wie geht es dir? Was machst du so? Was führt dich hierher?«

Ich wusste nicht, wie ich antworten sollte. Ich konnte nur an Jake im Steinbruch denken, an die Blutlache und an seinen Schrei, als er abstürzte. Wir saßen eine Weile schweigend da, dann sprang er auf.

»Warte einen Moment, Donald«, sagte er.

Er verschwand nach oben und ich hörte ihn herumkramen, Schranktüren öffnen, Schubladen durchwühlen. Ein paar Minuten später kam er mit einem alten Spaceshuttle aus Plastik zurück, das er auf den Handflächen trug, als wollte er mir eine Medaille präsentieren. Ein breites Grinsen zog sich über sein altes Gesicht. »Erinnerst du dich daran, Donald? Erinnerst du dich noch, wie sehr du das gemocht hast?«

Er hielt es mir hin, und ich nahm es, drehte es in meinen Händen. Es war ein Modell des Spaceshuttles *Columbia*. Neben meinem Fahrrad war es mein liebstes Geschenk gewesen. Ich hatte es überallhin mitgenommen, nie aus den Augen gelassen.

»Wie kommt es hierher?«, fragte ich.

»Als dich deine Mum das letzte Mal hier abgeliefert hat, nicht lange bevor ihr weggezogen seid, hast du es wie immer dabeigehabt, aber du wolltest nicht damit spielen, und ich habe es sicherheitshalber auf die Anrichte gestellt. Deine Mum ist dann plötzlich aufgetaucht und hat dich mitgenommen, du hast es vergessen. Ich wollte es immer bei euch abgeben, aber dann wart ihr so schnell weg und niemand wusste, wohin ihr gezogen seid. Ich hatte es die ganzen Jahre über hier.«

»Warum haben Sie es nicht weggeworfen?«

Er zuckte die Schultern. »Das wäre nicht richtig gewesen. Du hast es so gemocht, das hätte ich nicht fertiggebracht. Ich hatte es ganz vergessen, bis vor ein paar Minuten.«

Ich betrachtete das Spaceshuttle von allen Seiten. Es war das Einzige, was geschrumpft war. Ich hatte es als lang, dick und schwer in Erinnerung, als enthielte es in seinem Inneren die winzigen Mechanismen eines echten Spaceshuttles. Jetzt wog es leicht in meinen Händen, ein billig aussehendes Spielzeug, alt und verblasst.

»Ungefähr ein Jahr lang hattest du es immer dabei, wenn du hier warst. Und Bücher über den Weltraum, weißt du noch?«

Und ob ich es wusste. Ich erinnerte mich an mein erstes Wegtauchen zum Neptun. Meine Flucht in den Weltraum. Ich erinnerte mich, wie ich aus meinem Zimmerfenster in den Nachthimmel schaute und zwar wusste, dass die Sterne draußen vielleicht schon tot waren, aber noch nicht recht begriff, wie das sein konnte, und mir auch nicht vorstellen konnte, wie das möglich war. Ein Gedanke rührte sich in meinem Hinterkopf.

»Ich dachte immer, du würdest später mal Astronaut«, sagte Mr Mole und sah mich lächelnd an. Ich lächelte gezwungen zurück.

»Also«, sagte er. »Bleibst du noch zum Abendessen?« Bevor ich Zeit hatte zu antworten, war er schon aufgestanden und ging davon, und eine Minute später hörte ich ihn eifrig schnippeln. Ich lehnte mich zurück, schloss die Augen und atmete den Geruch im Zimmer ein. Das Haus war der glücklichste Ort, den ich je gekannt hatte, und irgendwie befürchtete ich, mit meinem Hiersein könnte ich das ruinieren.

Während ich versuchte etwas zu essen, sagte er: »Möchtest du deine Mutter anrufen, Donald? Und ihr sagen, wo du bist?«

Ich schüttelte den Kopf, worauf er lächelnd fragte: »Ist es so schlimm?« Ich wollte sein Lächeln erwidern, aber es ging nicht. Nachdem er abgewaschen hatte, wollte ich mich verabschieden, ich hatte eine Idee, wohin ich gehen könnte, aber Mr Mole sagte: »Das Gästezimmer ist schnell zurechtgemacht, Donald.« Kaum hatte er das gesagt, gaben meine Beine vor Müdigkeit nach, und ich musste mich setzen.

Ich ging früh ins Bett und schlief bis zum Mittag. Mr Mole bestand darauf, dass ich etwas aß, als ich endlich hinunterkam. Er ließ mich allein und arbeitete hinten im Garten. Nach dem Frühstück ging ich hinaus und half ihm den restlichen Nachmittag, so, wie ich es auch vor vielen Jahren immer getan hatte. Gegen vier sagte ich, ich müsse mich auf den Weg machen, weil ich noch wohin wollte.

»Sag deiner Mutter, dass es dir gutgeht, Donald. Sie ist

bestimmt krank vor Sorge.« Ich nickte, dann begleitete Mr Mole mich zur Pforte, wo wir uns die Hände schüttelten wie Männer in einem Film. Er schloss die Pforte hinter mir und nahm dieselbe Haltung ein wie am Anfang, seine Hände baumelten an der Seite, während er beobachtete, wie ich die Hawthorne Road hinunterging, zurück ins Zentrum von Clifton.

Ich erkundigte mich in der Bibliothek. Von Clifton fuhr ein Bus in ein Dorf namens Hethersby, von dort musste ich viereinhalb Kilometer laufen. Die meisten Leute würden fahren, sagte man mir.

Der Bus brauchte ewig. Er schlängelte sich durch Dörfer, wartete zehn Minuten lang an Haltestellen, ohne dass jemand zustieg. In einem Dorf wandte sich der Fahrer mir zu und sagte: »Das ist es, das ist Hethersby.« Sobald ich ausgestiegen war, sah ich es, denn sonst war weit und breit nichts: groß, das einzige Gebilde am Horizont. Eine riesige weiße Satellitenschüssel, gehalten von einem Gerüst. In der Mitte zeigte eine Antenne in den Himmel. Das Pilchard Telescope, endlich. Es sah gar nicht aus wie ein Teleskop. Ich machte mich auf den Weg.

Ich fand den Eingang, überquerte den Parkplatz und folgte den Schildern zum Besucherzentrum. Ich probierte die Tür, aber sie war verschlossen. Ein Mann in einem Blazer erschien mit einem Walkie-Talkie und erklärte mir, um fünf werde geschlossen, aber ich könne unten den Rundweg um das Teleskop gehen, der Eingang werde um acht geschlossen. Ich hatte also noch vierzig Minuten. Er zeigte mir den Weg, und ich ging los. Niemand war so spät noch hier, ich stand allein da und starrte zu dem Teleskop hinauf. Entlang des Weges waren verblichene Tafeln mit Fakten über Thomas Pilchard und das Teleskop. Ich blieb vor jeder stehen, konnte aber die Informationen nicht aufnehmen, die Worte ergaben einfach keinen Sinn. Ich starrte wieder auf das Teleskop, sah aber immer nur Jake im Steinbruch liegen. Meine Beine waren schwach, ich setzte mich auf eine Bank. Schließlich knisterte irgendwo eine Ansage aus einem Lautsprecher. Die Anlage würde in zehn Minuten schließen, die Besucher möchten sich bitte zum Ausgang begeben. Ich sah mich um und entdeckte einen Holzschuppen bei einer kleinen Baumgruppe. Ich lief zu den Bäumen. Ein paar Minuten später erschien der Mann mit dem Walkie-Talkie, ging einmal den Weg um das Teleskop herum und pfiff. Dann lief er zum Schuppen und spähte hinein. Auf dem Weg nach draußen hob er einen kleinen Teddy auf, den jemand ins Gras hatte fallen lassen. Er betrachtete ihn und steckte ihn in seine Blazertasche. Er schloss das Tor hinter sich. Ich hörte ein Auto anspringen und davonfahren.

Ich ging in den Schuppen, setzte mich auf den Fußboden und schaute hinüber zum Teleskop. Groß und stumm. Weit oben hörte der Himmel auf und der Weltraum begann, mit Planeten und Sternen. Irgendwo dort oben drehte sich Neptun, seit ewigen Zeiten. Nichts hier unten konnte dem Geschehen dort oben etwas anhaben. Die Dämmerung brach herein, der Himmel wurde dunkel, langsam zunächst, und dann plötzlich verblasste das Teleskop unglaublich schnell. Ich schlief leichter ein, als ich dachte, aber ich schlief nicht gut. Ich träumte von abstürzenden Jungen und verletzten Jungen. Im Morgengrauen wachte ich vom ersten Vogelgezwitscher auf. Es war schlimmer als am Morgen, an dem ich von Oliver Thomas' Tod erfahren hatte. Es dauerte noch lange, bis jemand kam, aber schließlich erschien der Mann im Blazer, marschierte wieder den Weg entlang und öffnete zehn Minuten später das Eingangstor. Eine halbe Stunde danach trafen die ersten Besucher ein. Zuerst kam ein Mann, der ein kleines Mädchen an der Hand hielt. Sie wandten sich an den Blazer-Mann, der Mann erklärte etwas, das Mädchen stand schüchtern an seiner Seite. Er zerzauste dem Mädchen das Haar. Der Blazer-Mann ging in die Hocke, zog den Teddy aus seiner Tasche und zeigte ihn dem Mädchen. Ein Lächeln huschte über ihre Lippen, sie nahm den Teddy schnell, drückte ihn an ihre Brust und freute sich. Die Männer lachten und gaben sich die Hand, das kleine Mädchen musste Danke sagen, dann kehrten sie um und gingen zum Parkplatz zurück. Das Mädchen hielt den Teddy noch immer fest an die Brust gepresst. Ich wartete, bis ein paar mehr Besucher erschienen, und verließ den Schuppen in Richtung Ausgang. Niemand bemerkte mich. Ich ging zum Tor hinaus, über den Parkplatz und zur Landstraße. Ich war am Ende der Welt.

28

Ich hätte nicht um das Fahrrad betteln sollen. Normalerweise setzte ich Mum nicht wegen neuer Sachen zu. Ich war kein Quälgeist. Ich wusste, wir konnten uns nicht viel leisten. Und als Kind war ich leicht zufriedenzustellen – ich freute mich jedes Mal, dass ich umsonst eine Tasche voller Bücher aus der Bibliothek ausleihen konnte. Aber als ich sieben war, änderte sich etwas, plötzlich wollte ich unbedingt ein Fahrrad haben. Ich wusste, die Chancen standen schlecht und es war ziemlich unwahrscheinlich, dass wir das nötige Geld dafür hatten, aber ich wünschte es mir mehr als alles andere bisher. Ich redete so oft davon, dass Mum bei der Erwähnung des »F«-Wortes zusammenzuckte. Wahrscheinlich redete sie mit einer Freundin darüber, denn eines Nachmittags schleppte sie mich zur Garage eines älteren Jungen, und dort sollte ich mich auf sein Fahrrad setzen, um zu sehen, ob es passte. Das Fahrrad war selbst in der niedrigsten Sitzhöhe viel zu groß für mich, aber nicht so groß, als dass Mum es zum angebotenen Preis hätte ablehnen können. Der Kauf wurde beschlossen, die Garagentür zugeknallt, und mir wurde mitgeteilt, ich würde es erst am Morgen meines Geburtstages sehen. Ich war begeistert von dem Fahrrad. Dass am Rahmen schmutzige Sticker klebten und die Griffe am Lenker sich langsam auflösten, störte mich nicht im Geringsten. Dass es ramponiert war und zu groß, zählte ebenfalls nicht. Es war ein Fahrrad, es würde mir gehören. Ich schonte endlich Mums Ohren und fieberte dem großen Tag entgegen.

Am Morgen meines Geburtstages war ich aufgeregter als in den Jahren zuvor. Ich wollte hinaus und fahren. Den Wind im Haar spüren. Mit dem Vorderreifen in der Luft fahren. Hinter unserem Haus auf dem Kies schlingernd zum Stehen kommen, dass die Steinchen spritzten. Doch bevor das alles stattfinden konnte, wurde ich zum Frühstück gerufen, auf das ich gar keinen Hunger hatte. »Je früher du isst, umso schneller kriegst du dein Fahrrad«, sagte Mum. Ich beeilte mich und verschlang meinen Toast, während Mum mir gegenübersaß und an der Kamera herumfummelte. Ich hätte ahnen müssen, dass etwas im Busch war, als sie mir mit der Kamera in der Hand in den Flur zum abgedeckten Fahrrad folgte. Ich hob das Tuch hoch und hielt mitten im Abdecken inne. Ich blickte auf einen neuen schwarzen Reifen, glänzende silberfarbene Speichen und einen leuchtend roten Rahmen. Nirgendwo Rost, keine Sticker oder Kratzer, kein einziger Makel. Wahrscheinlich starrte ich eine ganze Weile, denn Mum wurde ungeduldig und sagte: »Jetzt mach schon, Donald«, und zog das Tuch vollständig weg. Sie enthüllte ein leuchtend rotes, nagelneues Raleigh. Ich war verdattert. Sie fotografierte mich, wie ich dastand, als sähe ich etwas Unfassbares, aber das nächste Foto war vermutlich ein paar Minuten später aufgenommen, denn ich schien mich etwas erholt zu haben: Mit einem strahlenden Lächeln auf dem Gesicht hielt ich die Lenkergriffe meines neuen Fahrrads.

Mir war wohl bewusst, dass die meisten Jungen und Mädchen in meinem Alter schon jahrelang Fahrräder besaßen, bevor ich meine Hände an eines legen konnte. Das war auch der Grund, warum ich es probieren wollte. Ich hatte zugesehen, wie sie die Straße hoch- und runtersausten, wie sie einander jagten, von Nachbarn beschimpft, von Autos angehupt wurden. Es sah nach großem Spaß aus. Was ich nicht bedacht hatte, war, dass Radfahren Übung brauchte, dass man den Dreh raushaben musste. Ich dachte mir, wenn man erst mal auf einem Fahrrad sitzt, ist die Schlacht gewonnen. Nachdem ich also begeistert das Abdecktuch weggezogen und das neue Fahrrad darunter entdeckt hatte, kam die Enttäuschung, denn mir wurde klar, dass ich absolut nichts damit anfangen konnte. Ich schob das Fahrrad auf den Weg hinter unserem Haus, setzte mich drauf und hatte keine Ahnung, was ich als Nächstes tun sollte. Ich hob einen Fuß vom Boden und stellte ihn auf ein Pedal, doch sobald ich den anderen Fuß hochhob, schoss der erste wieder auf den sicheren Boden. Wahrscheinlich machte ich das ungefähr zwanzig Minuten lang immer wieder. Fahrradfahren kam mir in diesem Moment genauso unmöglich vor wie Fliegen. Ich ging ins Haus zurück und fragte Mum um Rat, aber sie zuckte nur die Schultern, und ich wusste, dass ihr Beitrag zu dem Wunder abgeschlossen war.

Am Nachmittag kam mir die Idee, dass der Bordstein vor dem Haus hilfreich sein könnte. Ich stellte den linken Fuß auf den Boden und trat das Pedal mit dem rechten Fuß vorwärts. Ich schob das Fahrrad weiter und bewegte mich endlich – Bewegung war gleich Fortschritt. Mit wachsendem Selbstvertrauen schaffte ich ein paar Umdrehungen mit dem rechten Pedal und hob dabei für ein paar Sekunden den linken Fuß vom Boden, weil ich wusste, der Bordstein würde mich jederzeit retten. Am Ende des ersten Tages wackelte ich zwei volle Pedalumdrehungen vorwärts. Ich war draußen, bis sich die Straßenlampen einschalteten und Mum mich ins Haus holte. Am Abend war ich erschöpft, aber ich ging mit dem Bewusstsein ins Bett, dass ich weiter war als noch am Morgen.

Am Ende des zweiten Tages konnte ich ein paar Meter Schlangenlinie fahren. Nun musste ich das Wenden lernen, und da ich keine Ahnung hatte, wie ich das bewerkstelligen sollte, stieg ich jedes Mal ab und stellte das Fahrrad in die gewünschte Richtung. Aber mit der Zeit wurde ich besser.

Mein erster Kreis ohne Bodenberührung war ein großer Moment. Ich war auf dem Brachland hinter unserem Haus und fuhr einmal um das Gelände, das so groß war wie ein Kricketfeld. Je sicherer ich mich fühlte, umso enger und schneller zog ich meine Kreise, bis mir ganz schwummrig wurde und ich mich hinsetzen musste, um das Drehgefühl loszuwerden. Nach zwei Wochen konnte ich zur Seite wegrutschen und auf dem Hinterrad fahren wie jedes andere Kind auch. Ich verbrachte den Großteil des Sommers auf meinem Fahrrad. Ich durfte nicht zu weit weg, deshalb fuhr ich hauptsächlich bis Nummer fünfundsechzig die Straße rauf und runter und auf dem Weg zum Brachland. Ich weiß nicht, was aus dem Fahrrad geworden ist – wir nahmen es nicht mit nach Raithswaite, aber ich erinnere mich auch nicht daran, es in Clifton gelassen zu haben. Ich weiß nur, dass es eine Zeitlang bei der Polizei war. Vielleicht haben sie es nie zurückgegeben. Vielleicht ist es immer noch in einem Raum irgendwo in Clifton, eingestaubt und verrostet, mit einem verblassten Beweisschildchen an der Lenkstange.

Wenn ich in Iowa wäre, würde ich früh aufstehen und vor der Arbeit den Hund ausführen. Zum Frühstück mit Lucy gäbe es Eier, Kaffee und Orangensaft, bevor ich in den Pickup springen und zum Laden fahren würde. Ich würde die Tür öffnen, in den warmen Geruch von Lack und Holz eintauchen, mir noch einen Kaffee machen und am Ladentisch die Geschäftsbücher durchsehen. Auf der Polizeiwache in Raithswaite gibt es keine angenehmen Gerüche. Dort sind zwei Polizisten, ein Mann im Anzug, meine Mum und ich. Wir sitzen in einem kleinen stickigen Raum. Ein Polizist stellt alle Fragen.

»Wie würdest du dein Verhältnis zu Jake beschreiben?«

»Wir waren Freunde.«

»Ein Sechzehnjähriger und ein Achtjähriger?«

Ich nickte und sagte: »Ja.« Meine Stimme hörte sich fremd an. Zu hoch und kratzig.

»Ist dir das nicht unangemessen vorgekommen?«

»Irgendwie nicht.«

»Weißt du, was ›unangemessen‹ bedeutet?«

Ich nickte.

»Warst du oft auf dem Spielplatz an seiner Straße?«

»Manchmal, ja.«

»Bist du nicht zu alt, um dich an einem Spielplatz aufzuhalten?«

Ich antwortete nicht.

»Warum dieser Spielplatz? Er ist fast drei Kilometer von deinem Haus entfernt.«

»Ich bin in ganz Raithswaite unterwegs. Ich gehe überallhin.«

»Du gehst zu allen Spielplätzen?«

»Nein. Ich gehe überall in Raithswaite hin.«

»Normalerweise lernen sich Sechzehnjährige und Achtjährige nicht kennen und werden Freunde.«

Ich wusste nicht, was ich darauf sagen sollte.

»Bist du zuerst auf ihn zugegangen?«

»Das weiß ich nicht mehr.«

»Jemand muss den anderen doch zuerst angesprochen haben. Heute habe ich dich zuerst angesprochen. Wie war das bei euch? Du oder Jake?«

»Eines Tages sind wir in der Bibliothek einfach ins Gespräch gekommen. Ich hab ihn öfters in der Bibliothek gesehen. Er wirkte einsam. Seine Mum war nie bei ihm, sie hat sich nie um ihn gekümmert.«

»Und das hast du dann getan? Dich um ihn gekümmert?«

»Könnte man sagen. Manchmal.«

»Dann hast du ihn also zuerst angesprochen, weil er einsam wirkte?«

»Vielleicht. Das weiß ich nicht mehr genau.«

»Hast du keine Freunde in deinem Alter?«

»Nicht sehr viele.«

»Wie kommt das?«

Ich dachte an Neptun im Weltraum. An den vielen Platz und die Stille.

»Ich weiß es nicht«, sagte ich.

30

»Was ist passiert, als er gestürzt ist?«

»Ich wollte ihm helfen. Ich wollte ihn herunterholen, aber er bekam Angst, ist ausgerutscht und gestürzt.«

»Er sagt, du warst hinter ihm her.«

»Ich war hinter ihm her, aber als er an der Steinbruch-wand in Schwierigkeiten war, wollte ich ihm helfen.«

»Warum warst du hinter ihm her?«

»Ich wollte ihn einholen und sicher nach Hause bringen. Er hat die Nerven verloren und ist weggerannt.«

»Er sagt, du hast ihn zu dem Haus geschleppt, um ihm einen Geist zu zeigen, und als er weglaufen wollte, hast du ihn verfolgt.«

»Aber er wollte den Geist sehen.«

»Den Geist, den du erfunden hast. Um ihn zu dem Haus zu locken.«

Meine Mum legte ihren Kopf in die Hände. Ich wünschte mir, ich würde allein in einem Haus oben auf einem hohen Berg wohnen. Ich würde auf dem Dachboden schlafen. So nah wie möglich am Weltraum.

»Ich hab den Geist nur für ihn erfunden. Damit er Spaß hatte.«

»Wir waren in dem Haus. Wir haben euer Zimmer ge-sehen.«

»Geht es ihm gut?«

»Hast du das alles eingerichtet? Den Tisch und die Stühle?«

»Ich hab das nicht gestohlen.«

»Aber du hast das alles reingestellt?«

»Ja.«

»Warum? Was habt ihr, du und Jake, dort gemacht?«

»Bücher gelesen.«

»Ihr habt Bücher gelesen?«

»Manchmal. Horrorbücher. Die gefielen ihm.«

»Du bist mit einem acht Jahre alten Jungen drei Kilometer durch die Stadt zu einem verlassenen Haus gelaufen und hast ihm Horrorbücher vorgelesen?«

»Ja.«

Er musterte mich eine ganze Weile.

»Geht es ihm gut?«, fragte ich.

»Er ist inzwischen raus aus dem Krankenhaus. Immer noch angeschlagen und zerschrammt.«

»Würden Sie ihm ausrichten, dass es mir leidtut?«

»Was tut dir leid, Donald?«

»Dass er gestürzt ist und sich verletzt hat.«

»Und das ist alles?«

»Es tut mir leid, dass er Angst hatte.«

»Warum hatte er Angst?«

»Er hatte dumme Gedanken im Kopf.«

»Warum dumm?«

Ich wusste nicht, ob ich es sagen sollte.

»Sein Freund hat ihm gesagt, dass ich ein böser Mann sein könnte.«

»Was für ein böser Mann?«

»Ich weiß nicht. Aber plötzlich wollte er nicht mehr mit mir befreundet sein.«

»Und darüber warst du verärgert?«

»Nicht verärgert, traurig.«

»Aber du hast ihn gejagt. Ein Sechzehnjähriger nimmt einen Achtjährigen in ein verlassenes Haus mit, um ihm einen Geist zu zeigen, den er erfunden hat, und als der kleine Junge Angst bekommt, jagt der Ältere ihn, sodass er nur eine Möglichkeit sieht, zu entkommen: nämlich eine achtzehn Meter hohe Wand raufzuklettern. Was sollen wir davon halten, Donald? Wie groß muss seine Angst wohl gewesen sein?«

»So war es nicht.«

»Wie war es dann?«

Was ich ihnen auch sagte, es machte alles nur noch schlimmer.

31

Es wurde noch schlimmer, als sie herausfanden, dass ich die Nacht bei Jake verbracht hatte. Ich hatte es ihnen nicht erzählt, aber wahrscheinlich hatten sie noch mal mit Jake gesprochen und es von ihm erfahren. Es war Mittag, als ein Auto zu uns kam und Mum und ich wieder zur Wache gefahren wurden.

»Du bist ins Haus eingebrochen und in seinem Zimmer geblieben?«

»Ich bin nicht eingebrochen. Er hatte Angst, allein zu sein.«

»Du hast also auf ihn aufgepasst? Damit es ihm besser geht?«

»Ja, genau. Er wollte, dass ich bei ihm bleibe.«

»Das hat er uns aber nicht erzählt. Uns hat er erzählt, dass du eines Abends an der Hintertür aufgetaucht bist und dich hineingezwängt hast.«

Ich schüttelte den Kopf. So war das nicht.

»Bist du gewaltsam eingedrungen?«

»Ich hab mich nicht hineingezwängt. Er hat mich reingelassen.«

»Er sagt, dass er Angst vor dir hatte, weil du ihn nicht in Ruhe gelassen hast.«

Ich wusste nicht, ob ich ihnen glauben sollte. Ich hätte gern mit Jake gesprochen. Ich glaubte nicht, dass er Angst gehabt hatte.

»Fragen Sie ihn nach dem Gewitter. Fragen Sie ihn nach der Nacht mit dem Gewitter. Es hat gedonnert und geblitzt, und er hatte furchtbare Angst, deshalb bin ich bei ihm geblieben. Ich habe ihm geholfen, wieder einzuschlafen.«

»Wie oft bist du nachts in dem Haus gewesen?«

»Zweimal.«

»Zweimal?«

»Ja.«

»Warum siehst du nicht ein, wie unangemessen das ist? Einfach so aufzutauchen und die Nacht bei einem Achtjährigen zu verbringen.«

»Aber seine Mum war nicht da. Sie hat ihn ständig allein gelassen.«

Er hörte kurz auf, mir Vorwürfe zu machen, und sagte:

»Es stand dir nicht zu, das zu übernehmen. Nicht auf diese Art und Weise. Du hättest es jemandem erzählen sollen.«

»Ich wollte mich nur um ihn kümmern. Wollte, dass es ihm besser ging.«

»Hast du die Tatsache, dass er allein war, ausgenutzt?«

Ich schüttelte den Kopf.

»Ich wollte ihn glücklich machen.«

Der Polizist schaute mich ungläubig an.

»Wie wolltest du ihn glücklich machen?«

»Mit den Büchern. Und indem ich mich um ihn kümmerte, wenn er allein war. Er mochte das Haus, und manchmal haben wir draußen gespielt.«

»Und das hat ihn glücklich gemacht?«

»Manchmal, ja.«

»Hast du jemals etwas anderes getan, um ihn glücklich zu machen?«

»Ich habe ihm Limonade und Schokolade gekauft. Süßigkeiten. Mit ihm gespielt, ihm Geschichten vorgelesen.«

»Das meine ich nicht, Donald.«

Er starrte mich an, und ich versuchte seinem Blick standzuhalten, aber es gelang mir nicht.

»Nein. Ich habe nichts anderes getan, um ihn glücklich zu machen.«

Er sah mich an, und ich fühlte mich so schuldig, als hätte ich Jake überall angefasst.

32

Diesmal war es schlimmer als Graffiti an der Tür und vor dem Haus schreiende Jugendliche. Ich ging möglichst selten aus dem Haus, und zur Schule ging ich ohnehin nicht, aber manchmal muss man eben nach draußen. Ich wusste nicht, was bei der Polizei ablief. Ich wartete auf das Ergebnis und brauchte dringend neue Bücher, etwas, das mich ablenkte, darum ging ich in die Bibliothek. Ich kam ohne Zwischenfälle dort an, aber in der Bibliothek, einem Ort, den ich seit Jahren kannte, fühlte ich mich unwohl. Ich wählte hastig meine Bücher aus, benutzte den Selbstbedienungsautomaten und eilte wieder nach Hause. Wenn ich an jemandem vorbeikam oder jemand mich ansah, wusste ich, was sie vermutlich dachten, und ich hätte ihnen gern gesagt, dass alles, was sie über mich gehört hatten, alles, was sie über mich dachten, vermutlich falsch war. Aber so läuft es nun mal nicht; man muss das Angestarre ertragen und die Leute denken lassen, was sie wollen. Ich gewöhnte mir an, Gassen und Seitenstraßen zu nehmen.

Ich war auf halber Höhe einer Gasse hinter der Lime Street, ungefähr achthundert Meter von zu Hause entfernt, als ich schnelle Schritte hinter mir hörte. Bevor ich mich umdrehen und schützen konnte, wurde ich von etwas Hartem und Schwerem am Hinterkopf getroffen. Es tat nicht sofort weh, aber die Wucht ließ mich zu Boden gehen. Sie waren zu zweit. Einer schlug weiter mit der Waffe auf mich ein, der andere benutzte seine Füße. Ich rollte mich, so gut ich konnte, zusammen und versuchte meine Arme schützend um den Kopf zu schlingen, aber es war, als wäre ich auf einem Berg in einen Sturm geraten, aus dem es kein Entkommen gab. Zuerst hatte ich Angst, aber je länger es dauerte, umso gleichgültiger wurde ich. Nach einer Weile verlor ich das Bewusstsein.

Als ich wieder zu mir kam, waren sie weg, aber ich wusste nicht, ob ich mich bewegen konnte, und dann verlor ich offenbar wieder das Bewusstsein, denn als Nächstes erinnere ich mich an eine Frau, die neben mir kauerte, meine Hand streichelte und sagte: »Ich bin's, Sarah, mein Junge, Sarah aus Nummer zwölf. Bleib ganz ruhig, bleib, wo du bist. Ich hab Hilfe gerufen.« Sie brachte mir ein Glas Wasser. Ich versuchte zu trinken, spürte aber nicht, wo meine Lippen aufhörten und das Glas begann. Als sie mich in den Krankenwagen hoben, sagte Sarah, es tue ihr leid, sie könne nicht mit mir ins Krankenhaus kommen, sie müsse ihre Kinder aus der Schule abholen und habe niemanden, der es ihr abnehmen könne. Ich hätte mich für ihre Hilfe bedanken sollen, aber sie schlossen die Türen des Krankenwagens, bevor ich dazu die Gelegenheit hatte.

Im Krankenhaus saß niemand bei mir. Ich weiß nicht, worin ich in der Gasse gelegen hatte, aber ich roch entsetzlich. Mit der Zeit tat alles schrecklich weh. Ich spürte einen stechenden Schmerz in der Brust, und die linke Seite meines Körpers wurde innerhalb weniger Sekunden abwechselnd glühend heiß und kalt. Meine rechte Hand war ebenfalls in einem schlimmen Zustand. Ich war sicher, dass etwas gebrochen war. Eine Schwester sah mich kurz an, als ich eingeliefert wurde, aber bis zur genauen Untersuchung musste ich zwei Stunden warten.

Schließlich rief ein Mann in blauer Hose und Jacke meinen Namen auf. Er führte mich durch den Korridor zu einem Bett und zog den Vorhang um uns zu. Finger wurden mir vor die Augen gehalten, und ich musste sagen, wie viele ich sah. Man zeichnete mir mit einem Finger verschiedene Formen und Symbole auf die Stirn, und ich musste sie benennen. Ich wurde gefragt, welchen Monat und welches Jahr wir hatten. Dann musste ich mich ausziehen und wurde am ganzen Körper untersucht, bevor ich geröntgt wurde. Als ich vom Röntgen zurückkam, wartete die Polizei auf mich, aber ich wollte nicht mit ihnen reden. Ich hatte kurz das Gesicht des Typen gesehen, der auf meinen Kopf eingeschlagen hatte. Es war Tyler gewesen, Fionas Bruder. Ich erzählte der Polizei, sie hätten mich von hinten angegriffen und ich hätte nichts gesehen.

Dass ich ohnmächtig geworden war, verschwieg ich. Ich erzählte dem Mann in Blau, ich wäre die gesamte Schlägerei über bei Bewusstsein gewesen, deshalb durfte ich nach Hause gehen, nachdem sie mich verbunden hatten. Zwei Rippen waren gebrochen, ebenso zwei Finger meiner rechten Hand, und mein Körper war von blauen Flecken übersät. Zum Schluss betrachtete ich mein Gesicht im Spiegel. Es war bis zur Unkenntlichkeit geschwollen, alles wirkte deplatziert. Man sagte mir, ich hätte Glück gehabt, mit diesen Schwellungen hätte es noch viel schlimmer sein können. Schmerz wälzte sich durch meinen Körper, und sie gaben mir ein paar Tabletten. Da sich nichts tat, verdoppelte ich die vorgeschriebene Dosis, dann endlich setzte die Wirkung ein. Als ich entlassen wurde, meinte der Mann in Blau, am Empfang würde man mir ein Taxi rufen, aber ich hatte kein Geld dabei und sagte, ich würde gern laufen. Das erlaubten sie nicht, und als ich erklärte, dass es niemanden gab, der mich abholen könnte, organisierte eine Schwester einen Krankenwagen, der mich nach Hause fuhr. Ich bat die Fahrerin, ein paar Straßen vor unserem Haus anzuhalten, damit Mum es nicht sah, aber sie sagte, sie müsste mich an die Tür bringen. Ich schlich ins Haus und hatte Glück – Mum sah weder den Krankenwagen noch mich. Ich ging sofort ins Bett.

Am nächsten Morgen kam ich zum Frühstück nach unten. »Wie siehst du denn aus?«, sagte Mum und fing an zu weinen. Ich fühlte mich schrecklich. Auch sie hatte viel einstecken müssen. Nicht in Form von Fäusten und Schlägen, aber der bei ihr angerichtete Schaden war genauso schlimm. Ich konnte mich wenigstens darauf freuen wegzutauchen. Ich hatte meine sichere Flucht. Aber für Mum hatte ich Clifton und jetzt auch noch Raithswaite ruiniert. Sie konnte nirgendwohin.

Ich dagegen schon. Die Idee für mein Wegtauchen war mir auf der Busfahrt zurück nach Raithswaite gekommen, nach der Nacht am Pilchard Telescope. Ich sah es in allen Einzelheiten vor mir, bei den besten Ideen war das immer der Fall. Es war ein schöner Morgen, und überall lächelten die Menschen. Die Frauen im Bus unterhielten sich, schauten aus dem Fenster und betrachteten die Hügel und Dörfer, dann unterhielten sie sich weiter. Draußen auf den Straßen winkten die Leute einander zu, führten ihre Hunde spazieren, gingen in Geschäfte. Alle wirkten gelassen, als wären sie am richtigen Ort und täten genau das, was ihnen bestimmt war. Im selben Moment kam mir die Idee. Plötzlich sah ich, wie es für mich weiterging.

33

Ich ging zurück, um Jake zu sehen. Mir war egal, dass ich das eigentlich nicht durfte, dass ich mir damit noch mehr Ärger einhandeln konnte. Ich musste ihn sehen, musste mich überzeugen, dass es ihm gutging und man mir die Wahrheit gesagt hatte. Ich stellte mich unter die Bäume beim Spielplatz. Ich hatte mich in der Zeit vertan und musste zehn Minuten warten, bis der Hof sich füllte, aber dann sah ich ihn. Inzwischen waren sie zu dritt: er, Harry und noch ein Junge, ein neuer Freund, der fast genauso dumm aussah wie Harry. Das Wetter hatte sich geändert, in der Luft lag ein Knacken, eine Kälte, wie seit Monaten nicht. Jakes Freunde trugen Mäntel, Jake war nur im Pullover, und ich fragte mich, ob er überhaupt einen Mantel besaß, ich hatte ihn nie in einem gesehen, eigentlich brauchte er etwas für den kommenden Winter. Vielleicht bemerkte es ja ein Lehrer. Der Baum in der Ecke war immer noch ihre Stelle. Sie alberten herum, schubsten einander, lachten und plauderten. Sie wirkten unbekümmert und fröhlich, es war schön, das zu sehen. Erst als die beiden anderen davonrannten und Jake ihnen folgte, fiel mir sein Bein auf. Er zog es leicht hinter sich her, als könnte er es nicht ganz vom Boden heben. Es machte ihn langsamer, aber anscheinend hatte er keine Schmerzen, er schien sich genauso zu amüsieren wie die anderen, auch wenn er nicht ganz mithalten konnte. Ihn so unglaublich lebendig zu sehen war das Schönste überhaupt. Nachdem ich ihn eine Weile beobachtet hatte, wandte ich mich ab. Ich lief durch die Stadt zum Geisterhaus, aber schon von der Straße aus sah ich, dass die Polizei dort gewesen war. Vor den Fenstern waren Gitter, auf der Rückseite ebenfalls: ein Gitter über der Tür, sämtliche Fenster bedeckt, man kam nicht hinein.

34

Die einzige andere Person, die ich sehen wollte, war Fiona. Wegen ihres Bruders konnte ich sie unmöglich zu Hause besuchen, und in die Schule ging ich nach wie vor nicht, deshalb musste ich den Steinbruch im Auge behalten. Schließlich sah ich sie. Ich wusste nicht, wie sie reagieren würde, aber es war mir wichtig, mit ihr zu sprechen. Ich rief ihren Namen, doch sie trug ihre Kopfhörer und lief in die entgegengesetzte Richtung. Als ich sie an der Schulter berührte, zuckte sie zusammen und fuhr herum. »Verdammt noch mal, Donald. Du hast mich zu Tode erschreckt.«

»Tut mir leid.«

»Dich so heimlich an mich ranzuschleichen.«

»Tut mir leid.«

»Meine Güte, du siehst schrecklich aus.«

»Ich seh schon besser aus als vor ein paar Tagen.«

»Die haben dich ganz schön rangenommen.«

»Ich wusste nicht, ob du mit mir redest oder nicht.«

»Was hast du dir dabei gedacht, Donald?«

»Ich hab nichts Schlimmes getan.«

»Die Polizei war bei uns und hat mir Fragen gestellt. Ich hatte keine Ahnung, was ich ihnen sagen sollte«, sagte sie.

»Ich hab nichts Unrechtes getan.«

»Das hab ich auch nicht geglaubt.«

»Außer dir glaubt das niemand.«

Sie holte eine Schachtel Zigaretten heraus, bot mir eine an, und ich nahm sie, dann gingen wir weiter, bis wir die Rückwand des Steinbruchs erreichten.

»Von wo ist er gefallen?«

Ich zeigte es ihr.

»Du meine Güte.«

»Angeblich wollen sie ihn am Boden einzäunen. Damit so was nicht noch mal passiert.«

Wir blieben nicht lange dort. Ich fühlte mich nicht wohl dabei. Als wir weggingen, erzählte ich ihr von Clifton und Oliver Thomas. Letztlich kam sie mit zu mir nach Hause. Wir saßen am Küchentisch, und ich redete weiter, ich erzählte ihr alles. Die beiden Erinnerungen, alles, was mir einfiel, alles, woran ich mich erinnerte. Mum war im Zimmer nebenan und wusste wahrscheinlich, was vor sich ging. Aber sie versuchte nicht, mich aufzuhalten.

Nachdem ich Jake und Fiona gesehen hatte, war ich bereit. An dem Abend, an dem ich weggehen wollte, legte ich mich zur gewohnten Zeit ins Bett, behielt aber meine Sachen an. Ich ließ das Licht im Zimmer brennen und schlich mich, als ich sicher war, dass Mum schlief, um Mitternacht aus dem Haus. Es war eine klare Nacht, die Sterne standen hell und zahlreich am Himmel. Ich ging zur Lime Street und schob so leise wie möglich eine Dankeskarte durch den Briefkasten von Nummer zwölf. Dann lief ich zurück zur Eastham Street, in der die großen Häuser stumm wie Monumente am Ende ihrer Auffahrten thronten. Ich lief durch den Wald, durch den ich die Möbel für das Geisterhaus getragen hatte, und in Richtung Steinbruchwand. Ein hoher Stacheldrahtzaun hält die Leute fern von der Wand, aber ich hatte meine Hausaufgaben gemacht und wusste, wo ich mich hindurchzwängen konnte. Als ich mich durch das Gestrüpp schlug, sah ich hinter einigen Bäumen einen Container, der mir noch nie aufgefallen war. Ich probierte die Tür, aber sie war verschlossen. Ich setzte mich an den Rand des Steinbruchs. Ich hatte ein paar Dosen Bier dabei und trank ein paar Stunden lang, keine unsinnige Menge wie letztes Mal, sondern gerade genug, um mich zu benebeln. Es war eine schöne Nacht, ruhig und friedlich wie immer, wenn ich wegtauchte. Ich stand auf, ging an den Rand des Steinbruchs und schaute in die dichte Schwärze hinunter. Man konnte den Grund nicht sehen, man konnte nichts dort unten sehen, und langsam fühlte ich mich benommen. Ich trat zurück. Ich dachte an Jake und Oliver und nahm mir vor, möglichst nicht mehr an sie zu denken. Ich blickte über den Steinbruch zu unserer Häuserreihe. Ich sah das Licht in meinem Zimmerfenster, ein kleines Licht, das einzig brennende Licht in all den Häusern. Es war so leicht, wegzugehen. Schon jetzt war ich so weit entfernt von ihr, dass ich sie nicht mal schreien hören würde.

In meiner Tasche waren Kleider, und ich hatte ihr etwas Geld aus dem Portemonnaie gestohlen. Nicht viel, aber genug, um dorthin zu kommen, wo ich hinwollte. Der erste Bus kam ungefähr um halb acht in die Stadt, deshalb verließ ich den Steinbruch um sechs. Wir waren nur zu dritt, als wir in Raithswaite abfuhren, aber als wir in den Busbahnhof einbogen, standen die Leute im Gang, hielten sich an den Stangen fest und versuchten, einander in engen Kurven nicht anzurempeln. Ich war erleichtert, als wir zur letzten Haltestelle kamen, die Türen sich öffneten und alle ausstiegen.

Ich musste eine Stunde auf den nächsten Bus warten und vertrieb mir die Zeit mit einem Bummel durchs Zentrum. Es ging mir viel besser als bei meinem letzten Besuch, aber der Ort flößte mir immer noch Angst ein, ständig war ich Leuten im Weg, die es eilig hatten und rannten, als würden sie einander jagen. Ich versuchte, allen auszuweichen, aber wo auch immer ich entlanglief, wollte jemand vorbei, und da ich befürchtete, mich zu verlaufen und den Bus zu verpassen, ging ich nicht weit und sah mir nicht viel an.

Es war ungefähr Viertel vor elf, als ich an seine Haustür klopfte, aber er öffnete nicht. Ich setzte mich und lehnte mich an die Hauswand, wartete auf seine Rückkehr und hoffte, dass er nicht verreist war. Ein paar Minuten später hörte ich Schnippelgeräusche hinter dem Haus. Ich nahm meine Tasche und ging zur Seitenpforte, horchte wieder und hörte es jetzt deutlich. Er arbeitete im Garten. Ich öffnete die Pforte, ging an der Hausseite entlang und sah ihn in der hinteren Ecke. Er machte sich kniend und mit hochgerollten Ärmeln an den Pflanzen zu schaffen. »Mr Mole«, sagte ich.

Aber ich war nervös und zu weit entfernt. Er hörte mich nicht. Ich räusperte mich und sagte seinen Namen etwas lauter.

Robert Williams

»Ganz echt, sehr klug, einfach großartig.« Der Stern

Robert Williams
Luke und Jon

Luke ist dreizehn, als seine Mutter stirbt. Sein Vater zieht mit ihm in eine Kleinstadt nach Nordengland, und es beginnt eine schwierige Zeit: Lukes Vater lässt sich gehen und Luke vermisst seinen Mutter jeden Tag mehr. Da lernt er Jon kennen, einen Nachbarsjungen und Außenseiter wie er, der bei seinen Großeltern lebt. Luke und Jon werden Freunde, langsam findet auch Lukes Vater ins Leben zurück, und die drei werden zu etwas wie einer kleinen Familie. Bis eines Tages das Jugendamt bei Jons Großeltern auftaucht ...

»Eines der Bücher, wegen derer man überhaupt angefangen hat, Romane zu lesen.« *Financial Times*

Weitere Informationen: www.berlinverlag.de